C000098208

L'ONU

QUEL AVENIR POUR L'ORGANISATION INTERNATIONALE ?

Nouvelle édition

MICHEL HEURTEAUX

LES ESSENTIELS MILAN

Sommaire

Les mots suivis d'un astérisque (*) sont expliqués dans le glossaire.

L'institution aux mille visages

Le 19 août 2003, l'ONU subissait le coup le plus terrible de son histoire avec un attentat au camion piégé qui tua 24 personnes au siège de sa délégation à Bagdad. Cible du terrorisme alors même que sa mission est justement de prévenir les conflits et veiller à la paix, l'ONU fait l'objet d'attaques qui remettent régulièrement en cause sa légitimité. L'intérêt bien compris des grandes puissances, le conservatisme des États membres sont à l'origine des faiblesses de l'institution. Née il y a près de soixante ans, l'Organisation des Nations unies joue néanmoins un rôle clé sur la scène internationale. Parfois contestée pour son incapacité à assurer une véritable sécurité collective, elle n'en est pas moins régulièrement sollicitée. Les Casques bleus, à la fois gendarmes et pompiers de la planète, sont sur tous les fronts : au Proche-Orient, au Sahara occidental, à Chypre, au Liberia. Mais l'Organisation a aussi bien d'autres tâches : la défense des droits de l'homme, l'aide aux réfugiés, la protection de l'enfance, la promotion de la science et de la culture, la coopération économique. Autant de missions à vocation universelle qui la rendent irremplaçable. Cet ouvrage a pour but de fournir au lecteur des repères essentiels pour comprendre le fonctionnement et les enjeux de l'ONU dans le nouvel ordre mondial.

La paix mondiale, une vieille idée

Bien avant la naissance de l'ONU, il y eut des tentatives pour établir, sur la base de traités, une paix durable entre les nations. La plupart de ces initiatives furent prises en Europe à partir du XVIIIe siècle. Sans pour autant aboutir...

Premières doctrines

L'idée d'organiser la paix pour éviter la guerre entre les peuples remonte au XVIIIe siècle. On la doit non pas aux princes et aux gouvernements de l'époque, mais à des penseurs. L'un des premiers est un ecclésiastique français, l'abbé de Saint-Pierre. Il rédige en 1713 un *Projet pour rendre la paix perpétuelle en Europe*. En 1795, le philosophe allemand Emmanuel Kant publie son *Projet philosophique de paix perpétuelle*. Pour Kant, les peuples doivent prendre leur destin en main et refuser des systèmes politiques qui imposent des guerres de conquête. Ces premiers textes vont nourrir la réflexion des milieux politiques et intellectuels dans une Europe déchirée par les guerres.

Traités et congrès

Ce sont les gouvernements des grandes puissances qui, en précurseurs, vont s'attacher à mettre en œuvre les idées de construction de la paix. Une série de traités internationaux conclus durant cette période apparaissent comme les prémices d'une nouvelle organisation. La Grande-Bretagne, la France, l'Allemagne et la Russie tentent à travers des alliances politiques d'instaurer une paix durable. Le congrès de Vienne de 1815 sera, de ce point de vue, la première tentative d'organisation de la sécurité collective en Europe.

« Le maintien de la paix générale et une réduction possible des armements excessifs qui pèsent sur toutes les nations se présentent, dans la situation actuelle du monde entier, comme l'idéal auquel devraient tendre les efforts de tous les gouvernements. » **Manifeste envoyé par le tsar de Russie Nicolas II aux puissances représentées à Saint-Pétersbourg en 1898.**

origines   organisation

Les conférences de La Haye

La première conférence de paix est convoquée en 1899 à La Haye (Pays-Bas) par le tsar de Russie, Nicolas II. Elle réunit les grandes puissances européennes : la Russie, la France, la Grande-Bretagne et l'Allemagne. Elle propose de « *trouver les moyens les plus efficaces d'assurer à tous les peuples les bienfaits d'une paix réelle et durable* ». La conférence prône en particulier une réduction des armements et la création de forces armées pour faire respecter la paix. Cette conférence propose en outre la création d'une cour internationale pour arbitrer les conflits. Mais aucune de ces propositions ne sera suivie d'effet. Quelques années plus tard, en 1907, les grandes puissances européennes et les États-Unis se retrouvent de nouveau à La Haye sans pour autant aboutir à quoi que ce soit, personne n'arrivant à se mettre d'accord sur les moyens d'organiser une paix stable. Huit ans plus tard éclate la Première Guerre mondiale.

« Sociétés de paix »

Au début du XIXe siècle, la question de la guerre et de la paix n'est plus l'apanage des responsables politiques. Elle devient un sujet de débat entre intellectuels. Des « sociétés de paix » se constituent à Londres, Genève, Paris et Bruxelles. Les discussions vont alimenter un large courant pacifiste en Europe qui s'oppose à la guerre. Toutes ces discussions vont poser un certain nombre de principes moraux qui aboutiront beaucoup plus tard, en 1919, à la création de la Société des Nations.

Parallèlement, les nations commencent à s'organiser collectivement sur un certain nombre de domaines techniques. Les premières unions internationales voient le jour : l'Union télégraphique internationale en 1868, l'Union postale universelle en 1878, l'Union internationale des chemins de fer en 1890. Ces unions préfigurent, d'une certaine manière, le fonctionnement des organisations internationales telles qu'elles apparaissent aujourd'hui.

Règlement pacifique des conflits

Lors de la première conférence de La Haye, des projets de convention furent élaborés en matière de limitation des armements, de droit de la guerre et de règlement pacifique des conflits.

Les idées de paix collective remontent au XVIIIe siècle. Des traités puis des conférences internationales évoquent, pour la première fois, la nécessité d'organiser une paix durable entre nations.

De la SDN à l'ONU

Au lendemain de la Première Guerre mondiale (1914-1918), les grandes puissances créent, en 1919, la Société des Nations. Après l'échec retentissant de cette organisation, qui ne pourra éviter le déclenchement de la Seconde Guerre mondiale, il faut attendre 1945 pour que se mette en place l'Organisation des Nations unies.

La déclaration de 1942

On doit l'expression « Nations unies » au président américain Franklin D. Roosevelt. Elle apparaît pour la première fois dans la « Déclaration des Nations unies » du 1er janvier 1942.

La SDN

Avec la fin du premier conflit mondial, qui fait en Europe plus de cinq millions de victimes, les grandes puissances vont chercher à développer des mécanismes de coopération. À l'initiative du président américain Thomas Woodrow Wilson, la Société des Nations (SDN) voit le jour le 28 avril 1919 lors de la conférence internationale de paix. Son siège est installé à Genève, en Suisse. La SDN est constituée d'une trentaine d'États, dont les principaux pays qui viennent de participer au conflit : la France, les États-Unis, le Japon, l'Allemagne, le Royaume-Uni. Ses fondateurs lui fixent un objectif : établir une coopération internationale pour maintenir la paix, les gouvernements européens se préoccupent d'obtenir des garanties pour la sécurité future de leurs pays. Le pacte de la SDN prévoit la réduction des armements nationaux, le règlement pacifique des différends entre ses pays membres. La SDN se voit dotée d'une assemblée, d'un conseil et d'un grand nombre de comités d'experts. Mais ses moyens apparaissent limités : elle comprend au total 670 personnes.

Échecs en série

La SDN fait vite preuve de son inefficacité. Faute de pouvoirs réels, elle éprouve beaucoup de difficultés à concilier les points de vue des grandes puissances

origines   organisation

qui y siègent. À partir des années 1930, les tensions internationales s'aggravent avec la montée des nationalismes, des conflits régionaux éclatent : le Japon envahit la Mandchourie en 1931, l'Italie se lance à la conquête de l'Éthiopie en 1935, l'Allemagne annexe l'Autriche en 1938, envahit la Tchécoslovaquie puis la Pologne en 1939. La SDN assiste impuissante à la montée des périls qui vont déboucher sur la Seconde Guerre mondiale.

Naissance de l'ONU

Construire une paix durable, assurer une sécurité collective : les grandes puissances, sorties épuisées de ces années de guerre (1939-1945), vont tirer les leçons des échecs passés. À la SDN succède l'Organisation des Nations unies (ONU). Plusieurs étapes conduisent à sa création en 1945 :

– Fin 1940, le président des États-Unis, Franklin D. Roosevelt, et le Premier ministre britannique, Winston Churchill, tiennent une réunion secrète à bord d'un vaisseau de guerre. Ils mettent sur pied un premier plan prévoyant de créer un monde sans guerre. Dans la foulée, le 1er janvier 1942, les représentants de 26 pays se réunissent à Washington, où est signée la « Déclaration des Nations unies ».

– En octobre 1944, la Chine, l'Union soviétique, le Royaume-Uni et les États-Unis s'entendent, lors de la conférence de Dumbarton-Oaks, sur l'idée de créer une organisation de nations pour maintenir la paix. Deux ans plus tard, les chefs des trois puissances alliées – États-Unis, Union soviétique, Royaume-Uni – mettent au point, lors de la conférence de Yalta, en février 1945, puis à celle de Potsdam, en août 1945, les grandes lignes de la future organisation. Celle-ci voit le jour à San Francisco en juin 1945.

– 51 pays assistent en juin 1945 à la conférence de San Francisco. Ils rédigent la « Charte des Nations unies* », qui donne naissance, le 24 octobre 1945, à l'Organisation des Nations unies.

Sécurité collective

Le pacte de la SDN mettra en exergue la notion de « sécurité collective » : « Le recours à la guerre par un pays membre de la Société des Nations est considéré comme un acte de guerre contre tous les autres membres. »

Après l'échec de la Société des Nations, fondée en 1919, les grandes puissances européennes et les États-Unis mettent sur pied la conférence de San Francisco. Elle aboutit, en juin 1945, au lendemain de la Seconde Guerre mondiale, à la création de l'ONU.

La Charte des Nations unies

La création de l'ONU repose sur un texte fondateur : la Charte des Nations unies. C'est en quelque sorte la loi sacrée qui fixe ses grands principes, son rôle, ses règles et ses diverses missions. Les 191 pays membres de l'Organisation l'ont signée.

19 chapitres, 111 articles

Signée le 26 juin 1945 à San Francisco par 51 pays, la Charte des Nations unies* porte sur les principes et objectifs généraux de l'ONU, le fonctionnement des différents organes constituant l'organisation internationale ; elle concerne en outre le règlement des conflits et prévoit le recours à la force en cas d'agression.

« Nous les peuples... »

Le préambule commence par cette proclamation célèbre : « Nous les peuples des Nations unies, résolus à :
– préserver les générations futures du fléau de la guerre qui deux fois en l'espace d'une vie humaine a infligé à l'humanité d'indicibles souffrances,
– proclamer à nouveau notre foi dans les droits fondamentaux de l'homme, dans la dignité et la valeur de la personne humaine, dans l'égalité des droits des hommes et des femmes, ainsi que des nations grandes et petites,
– créer les conditions nécessaires au maintien de la justice et du respect des obligations nées des traités et autres sources du droit international,
– favoriser le progrès social et instaurer de meilleures conditions de vie dans une liberté plus grande. »

« Maintenir la paix et la sécurité »

Les buts des Nations unies sont définis dans l'article premier de la Charte :

Le maintien de la paix

Cette notion qui implique le recours aux Casques bleus ne figurait pas de façon explicite à l'origine dans la Charte. Elle a été introduite par un ancien secrétaire général de l'ONU, Dag Hammarskjöld, et par le Canadien Lester Pearson lors de la guerre de Suez, en 1956.

– « maintenir la paix et la sécurité internationales et, à cette fin, prendre des mesures collectives efficaces en vue de prévenir et d'écarter les menaces à la paix et de réprimer tout acte d'agression »,

– « réaliser par des moyens pacifiques […] l'ajustement ou le règlement de différends ou de situations de caractère international susceptibles de mener à une rupture de la paix »,

– « développer entre les nations des relations amicales fondées sur le respect du principe de l'égalité des droits des peuples et de leur droit à disposer d'eux-mêmes »,

– « réaliser la coopération internationale en résolvant les problèmes internationaux d'ordre économique, social, intellectuel ou humanitaire et en encourageant le respect des droits de l'homme et des libertés fondamentales pour tous, sans distinction de race, de sexe, de religion ou de langue »,

– « être un centre où s'harmonisent les efforts des nations vers ces fins communes. »

Le recours à la force

Énoncer des principes, c'est bien, encore faut-il les faire respecter. La Charte des Nations unies prévoit en particulier l'utilisation de la force armée contre des pays qui menacent la paix internationale. L'article VII précise :

« Le Conseil de sécurité* peut entreprendre au moyen de forces aériennes, navales ou terrestres toute action qu'il jugera nécessaire au maintien ou au rétablissement de la paix. Cette action peut comprendre des mesures de blocus et d'autres opérations exécutées par les forces aériennes, navales ou terrestres des membres des Nations unies. »

« Afin de contribuer au maintien de la paix, les membres des Nations unies s'engagent à mettre à la disposition du Conseil de sécurité les forces armées, l'assistance et les facilités, y compris le droit de passage, nécessaires au maintien de la paix et de la sécurité internationale. »

La Charte et les principaux organes de l'ONU

Le chapitre III de la Charte désigne les organes clés du système onusien et leurs fonctions : l'Assemblée générale*, le Conseil de sécurité, le Conseil économique et social, la Cour internationale de justice*.

La Charte est le texte fondateur de l'ONU. Elle fixe les buts et les grands principes d'action : – maintenir la paix, développer des relations amicales entre les nations, – développer la coopération internationale, assurer le respect des droits de l'homme et des libertés fondamentales.

La Déclaration universelle des droits de l'homme

L'un des premiers actes de l'ONU a été de rédiger la « Déclaration universelle des droits de l'homme ». Elle a été adoptée à Paris en 1948 par 56 pays. Depuis, bien d'autres nations l'ont signée. Mais son application sur le terrain reste soumise à la bonne volonté des gouvernements.

En souvenir de 1789

Ce texte s'inspire très directement de la Déclaration des droits de l'homme et du citoyen de la Révolution française de 1789. On y retrouve les idéaux et les grands principes qui affirment, pour la première fois dans l'histoire de l'humanité, une conception universelle des droits de l'homme. La commission chargée en 1948 d'élaborer la déclaration universelle fait appel à un grand juriste français, René Cassin. Pendant la guerre, il entreprend de rédiger avec d'autres juristes

▶ ▶ ▶

Liberté et égalité

Article 1er « Tous les êtres humains naissent libres et égaux en dignité et en droits. Ils sont doués de raison et de conscience et doivent agir les uns envers les autres dans un esprit de fraternité. »

Article 2 « Chacun peut se prévaloir de tous les droits et de toutes les libertés proclamés par la présente Déclaration, sans distinction aucune, notamment de race, de couleur, de sexe, de langue, de religion, d'opinion politique ou de toute autre opinion, d'origine nationale ou sociale, de fortune, de naissance ou de toute autre situation. […] »

Article 3 « Tout individu a droit à la vie, à la liberté et à la sûreté de sa personne. »

Article 4 « Nul ne sera tenu en esclavage ni en servitude : l'esclavage et la traite des esclaves sont interdits sous toutes leurs formes. »

Article 5 « Nul ne sera soumis à la torture, ni à des peines ou traitements cruels, inhumains ou dégradants. »

Article 6 « Chacun a le droit à la reconnaissance en tous lieux de sa personnalité juridique. »

Article 7 « Tous sont égaux devant la loi et ont droit sans distinction à une égale protection de la loi. Tous ont droit à une protection égale contre toute discrimination qui violerait la présente Déclaration et contre toute provocation à une telle discrimination. »

origines   organisation

Respect de la personne humaine

Article 9 «Nul ne peut être arbitrairement arrêté, détenu ou exilé.»

Article 13 «Toute personne a le droit de circuler librement et de choisir sa résidence à l'intérieur d'un État.»

Article 14 «Devant la persécution, toute personne a le droit de chercher asile et de bénéficier de l'asile en d'autres pays.»

Article 18 «Toute personne a droit à la liberté de pensée, de conscience et de religion. […]»

Article 19 «Tout individu a droit à la liberté d'opinion et d'expression, ce qui implique le droit de ne pas être inquiété pour ses opinions et celui de chercher, de recevoir et de répandre, sans considérations de frontières, les informations et les idées par quelque moyen d'expression que ce soit.»

Article 23 «Toute personne a droit au travail, au libre choix de son travail, à des conditions équitables et satisfaisantes de travail et à la protection contre le chômage. […]»

Article 26 «Toute personne a droit à l'éducation. L'éducation doit être gratuite, au moins en ce qui concerne l'enseignement élémentaire et fondamental. L'enseignement élémentaire est obligatoire. L'éducation doit viser au plein épanouissement de la personnalité humaine et au respect des droits de l'homme et des libertés. Elle doit favoriser la compréhension, la tolérance et l'amitié entre toutes les nations et tous les groupes raciaux et religieux. […]»

Article 27 «Toute personne a le droit de prendre part librement à la vie culturelle de la communauté, de jouir des arts et de participer au progrès scientifique et aux bienfaits qui en résultent. Chacun a droit à la protection des intérêts moraux et matériels découlant de toute production scientifique, littéraire ou artistique dont il est l'auteur.»

▶ ▶ ▶ ce texte qui veut s'adresser à l'ensemble des humains. La Déclaration constitue, depuis, le texte international fondamental qui énonce les droits inaliénables de tous les membres de l'humanité. Il est adopté le 10 décembre 1948 par l'Assemblée générale* de l'ONU réunie à Paris, au palais de Chaillot.

La Déclaration universelle des droits de l'homme date de 1948. Elle énonce, en termes clairs et simples, les droits et les libertés fondamentales qui appartiennent à tous. Cet engagement découle de la Charte des Nations unies*, adoptée aujourd'hui par 191 pays.

191 États membres

Dès l'origine, l'ONU a pour vocation de rassembler toutes les nations de la Terre. Aujourd'hui, 191 pays y sont représentés. En faire partie implique certainesconditions : cela suppose des droits, mais aussi des devoirs.

Une réunion de nations

L'Organisation des Nations unies est composée de la plupart des États souverains du monde, soit 191 au total au 1er janvier 2004. La Charte des Nations unies* fixe les grands principes et les missions de l'Organisation. Elle établit également les conditions de participation des États et leur représentation dans les différentes instances de l'Organisation.

La Charte distingue en fait deux catégories de pays : les membres «originaire», ceux qui sont représentés dès la création de l'ONU, et les membres admis au cours des décennies suivantes. De 50 États membres au lendemain de la guerre, l'ONU passe à 60 en 1955, puis à 105 en 1961, 156 en 1981. Début 2004, ils sont 191 pays à en faire partie.

Les fondateurs

En 1942, en pleine Seconde Guerre mondiale, une poignée de pays adopte la Déclaration des Nations unies. Cette déclaration constitue la première étape qui conduit à la mise en place de l'Organisation des Nations unies, regroupant 26 pays, dont les États-Unis, la France et le Royaume-Uni. Trois ans plus tard, lors de la conférence de San Francisco, 50 pays sont représentés. Cette conférence, présidée par les États-Unis, donne officiellement naissance à l'ONU. Parmi les premiers membres se trouvent les États-Unis, la France, le Royaume-Uni, l'URSS, le Canada, mais aussi l'Argentine, le Brésil, le Danemark, la Tchécoslovaquie, l'Afrique du Sud, l'Arabie Saoudite, l'Égypte, la Grèce, la Pologne.

Les représentants des 191 États membres, réunis dans l'Assemblée générale.

origines   organisation

L'admission

Pour faire partie de l'ONU, il faut remplir certaines conditions. L'admission au sein de l'Organisation est définie par la Charte des Nations unies. Pour être admis, un pays doit être pacifique, il doit aussi accepter les conditions de la Charte. L'admission proprement dite s'effectue par décision de l'Assemblée générale* des Nations unies après recommandation du Conseil de sécurité*, un des principaux organes de décision de l'ONU.

Cette admission se fait de façon quasi automatique, mais cela n'a pas toujours été le cas dans le passé. Au moment de la guerre froide (*voir* pp. 28-29), lors des périodes de crise internationale, la procédure d'admission a été beaucoup plus difficile à mettre en œuvre. Ainsi, les admissions nouvelles ont-elles longtemps été bloquées durant les années 1950 et 1960, en raison notamment des tensions politiques entre l'URSS et les pays occidentaux.

Les derniers arrivés

La décolonisation engagée à partir des années 1960 puis la fin de la guerre froide vont amener de nouveaux pays membres. En 1960, 17 nouveaux pays, essentiellement africains, sont admis à l'ONU. Depuis, tous les pays anciennement colonisés sont entrés à l'ONU après la proclamation de leur indépendance.

Depuis 1990, avec la chute du mur de Berlin et l'effondrement du bloc communiste, de nouveaux pays comme les pays baltes (Estonie, Lituanie, Lettonie), la Slovaquie, la République tchèque sont représentés à l'ONU. La Croatie, la Slovénie et la Bosnie-Herzégovine, résultant de l'éclatement de la Yougoslavie, sont admises en tant qu'États à part entière en 1992. Les derniers pays ayant intégré l'ONU sont Tonga, Tuvalu, Nauru, Kiribati (1999) et Timor-Oriental (2002).

États souverains et pays membres

En 1950, 60 pays seulement sur les 85 États souverains étaient membres de l'ONU, soit 71 %.
En 2004, cette proportion s'élève à 98 %, avec 191 pays membres sur 194 États reconnus dans le monde.

L'ONU compte aujourd'hui 191 États membres, soit la quasi-totalité des nations de la planète. Parmi eux, 51 pays fondateurs, dont la France, les États-Unis, le Royaume-Uni. Les pays admis ces dernières décennies sont, pour la plupart, d'anciennes colonies et des pays formés après l'effondrement du bloc communiste.

La « machine » ONU

Des milliers de fonctionnaires, des dizaines d'organismes et d'institutions spécialisés, des missions d'observation du maintien de la paix, des agences internationales travaillent à l'échelle planétaire. Un véritable « système » qui constitue la plus grosse organisation mondiale de tous les temps.

New York, siège des Nations unies

Pour le grand public, l'ONU, c'est un grand drapeau bleu orné d'un double rameau d'olivier et un gigantesque gratte-ciel à New York, dans la presqu'île de Manhattan. Celui-ci symbolise d'une certaine manière la puissance de l'Organisation. C'est là qu'est installé, depuis 1952, le siège permanent des Nations unies.

Le choix du site est lié à l'histoire même de l'organisation. Lorsque les pays fondateurs créent l'ONU se pose très vite la question de sa localisation. Il est d'abord envisagé de l'installer sur un bateau naviguant sur les mers du globe, une solution fantaisiste vite abandonnée. On pense ensuite à Genève, en Suisse, qui a accueilli le siège de la Société des Nations (SDN) avant la guerre. Les grandes puissances se mettent d'accord, après de longues négociations, pour une installation aux États-Unis. Un geste éminemment politique, une manière de reconnaître la prépondérance américaine sur la scène internationale.

Le milliardaire américain John D. Rockefeller propose gratuitement un terrain de cinq hectares, sur les bords de l'East River, et près de 9 millions de dollars pour y construire un ensemble d'immeubles, dont un gratte-ciel de verre de quarante étages.

origines   organisation

Une équipe d'architectes, parmi lesquels le Français Le Corbusier et le Brésilien Oscar Niemeyer, dresse les plans des futurs bâtiments. Ils abritent, depuis, le Secrétariat général*, l'Assemblée générale* (où se tiennent les sessions de l'ONU), le Conseil de sécurité* et les principaux organes centraux, le Conseil de tutelle, le Conseil économique et social.

50 000 salariés

Pour faire tourner la machine ONU, il a été nécessaire de recruter une armée d'employés, de cadres et de diplomates. Une grande partie sont des fonctionnaires internationaux. Au début, ils étaient peu nombreux – 1 500 –, mais l'arrivée de nouveaux pays membres a contribué à accroître leur nombre. Ils sont aujourd'hui plus de 50 000, dont environ 25 000 fonctionnaires internationaux. Ce personnel travaille non seulement au siège de New York, mais également dans les différentes institutions faisant partie de l'ONU comme l'UNESCO*, l'OMS*, la FAO*, l'UNICEF* ou encore le HCR*, le FMI (Fonds monétaire international), etc. Chaque pays a droit à un quota de fonctionnaires qui ne sont responsables que devant l'ONU.

Deux langues de travail : français et anglais

Avec des dizaines de pays représentés, la question des langues utilisées à l'ONU s'est rapidement posée. Comme il n'était guère possible d'utiliser toutes les langues de la Terre, les pays membres se sont mis d'accord sur un certain nombre de langues officielles : l'anglais, le français, le russe, l'espagnol et l'arabe. Il a, par ailleurs, été décidé de ne recourir qu'à deux langues dites de travail : le français et l'anglais. Cela signifie que toutes les déclarations officielles, les résolutions* et les recommandations de l'ONU sont automatiquement rédigées dans ces deux langues.

Gardiens du droit international

Deux organes de la machine ONU traitent du droit international ; ils peuvent être saisis en cas de différends entre États membres : la Commission du droit international, créée en 1947, et la Cour internationale de justice* fondée en 1945.

Pour faire tourner la « machine » ONU, l'organisation emploie plus de 50 000 salariés dont près de 25 000 fonctionnaires internationaux. Ils travaillent non seulement au siège à New York mais aussi dans les institutions spécialisées liées à l'ONU et réparties dans le monde.

Le système ONU

Le système des Nations unies

ORGANES DES NATIONS UNIES

Comité d'état-major

Forces d'observation et (ou) de maintien de la paix

Grandes commissions

Comités permanents et comités de procédure

Autres organes subsidiaires de l'assemblée générale

UNRWA
(Office de secours et de travaux des Nations unies pour les réfugiés de Palestine dans le Proche-Orient)
Vienne

CNUCED
(Conférence des Nations unies sur le commerce et le développement)
Genève

PNUD
(Programme des Nations unies pour le développement)
New York

UNITAR
(Institut des Nations unies pour la formation et la recherche)
New York

PNUE
(Programme des Nations unies pour l'environnement) Nairobi

UNICEF/FISE
(Fonds des Nations unies pour l'enfance)
New York

UNU
(Université des Nations unies) Tokyo

CMA
(Conseil mondial de l'alimentation)
Rome

HCR
(Haut-Commissariat des Nations unies pour les réfugiés)
Genève

HABITAT
(Centre des Nations unies pour les établissements humains) Nairobi

PAM
(Programme alimentaire mondial ONU/FAO)
Rome

FNUAP
(Fonds des Nations unies pour la population)
New York

Conseil de sécurité

Secrétariat

Asse gén

Conseil é et social

Commissions
Commissions
Comités de session, comités pe

L'ONU est une galaxie d'organismes intergouvernementaux, d'institutions et d'agences spécialisées. On en compte aujourd'hui pas loin de 150, d'où de sérieux problèmes de coordination… Outre le siège permanent de New York, l'ONU est présente dans plusieurs capitales : l'UNESCO* a son siège à Paris, l'Organisation mondiale de la santé*, l'Organisation mondiale

origines   organisation

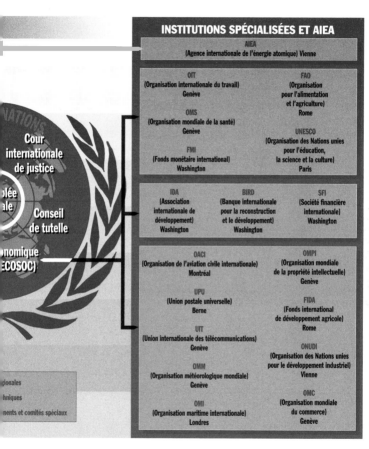

INSTITUTIONS SPÉCIALISÉES ET AIEA

AIEA
(Agence internationale de l'énergie atomique) Vienne

OIT
(Organisation internationale du travail)
Genève

OMS
(Organisation mondiale de la santé)
Genève

FMI
(Fonds monétaire international)
Washington

FAO
(Organisation
pour l'alimentation
et l'agriculture)
Rome

UNESCO
(Organisation des Nations unies
pour l'éducation,
la science et la culture)
Paris

IDA
(Association
internationale de
développement)
Washington

BIRD
(Banque internationale
pour la reconstruction
et le développement)
Washington

SFI
(Société financière
internationale)
Washington

OACI
(Organisation de l'aviation civile internationale)
Montréal

UPU
(Union postale universelle)
Berne

UIT
(Union internationale des télécommunications)
Genève

OMM
(Organisation météorologique mondiale)
Genève

OMI
(Organisation maritime internationale)
Londres

OMPI
(Organisation mondiale
de la propriété intellectuelle)
Genève

FIDA
(Fonds international
de développement agricole)
Rome

ONUDI
(Organisation des Nations unies
pour le développement industriel)
Vienne

OMC
(Organisation mondiale
du commerce)
Genève

Cour
internationale
de justice

Conseil
de tutelle

...nomique
(ECOSOC)

du commerce, l'Organisation internationale du travail (OIT*)
et le Haut-Commissariat des Nations unies pour les réfugiés (HCR*) sont
basés à Genève, la FAO* est installée à Rome, l'Agence internationale
de l'énergie atomique (AIEA) à Vienne (Autriche). L'ONU possède
par ailleurs un réseau de bureaux et de représentations à travers le monde.

L'Assemblée générale des Nations unies

Elle regroupe la plupart des pays de la planète et constitue une sorte de « super »-parlement mondial. L'Assemblée générale des Nations unies se réunit en sessions où se traitent tous les dossiers intéressant la paix dans le monde.

Vote

Les recommandations examinées par l'Assemblée générale des Nations unies sont votées à la majorité simple ; en revanche, les questions importantes, comme le budget, l'admission de nouveaux membres, sont votées à la majorité des deux tiers.

Un forum mondial

Chaque pays membre de l'Organisation, qu'il soit grand ou petit, est représenté à l'Assemblée générale* des Nations unies. On dit parfois qu'elle est ce qui se rapproche le plus d'un parlement mondial. L'Assemblée générale des Nations unies constitue l'organe clé du système onusien et son rôle est défini par la Charte des Nations unies*. Elle se réunit pour la première fois en 1946.

L'Assemblée générale peut discuter toutes les questions entrant dans le cadre de la Charte. Si elle ne peut imposer une décision à un État souverain, en revanche, elle peut formuler des recommandations. Elle a aussi bien d'autres missions : organisation de conférences internationales, admission de nouveaux membres, examen du budget et nomination du « patron » de l'ONU, le secrétaire général.

Un pays, une voix

Tous les pays bénéficient des mêmes droits et ils ont également les mêmes devoirs. Chaque État dispose d'une voix, quelle que soit sa taille et l'importance de sa population. La Chine (1,3 milliard d'habitants) vote ainsi à égalité avec la république de Saint-Marin (25 000 habitants).

Les textes examinés lors des débats font ensuite

origines   organisation

l'objet d'un vote. Pour être adopté, un texte doit obtenir une majorité simple. Pour les questions importantes qui concernent la paix et la sécurité internationale, la majorité des deux tiers est requise.

Ces textes engagent l'autorité morale de l'ONU. Les décisions votées par l'Assemblée générale n'ont pas force juridique obligatoire, autrement dit les pays ne sont pas contraints d'en tenir compte. Cependant, les États qui ne respectent pas ces décisions peuvent faire l'objet de toute une série de mesures. Elles vont de la dénonciation publique aux pressions diplomatiques. Dans les cas graves, elles peuvent aller jusqu'à l'expulsion pure et simple de l'ONU de tout État qui ne se conforme pas aux décisions votées par la majorité siégeant en Assemblée générale. Mais cela n'est encore jamais arrivé.

Le travail des Commissions

Six grandes Commissions traitent des questions intéressant les domaines d'intervention de l'ONU : sécurité internationale et désarmement, économie, questions sociales, humanitaires et culturelles, questions juridiques, questions politiques spéciales et décolonisation.

Les sessions

Les représentants des 191 pays se réunissent en sessions ordinaires une fois par an, de la mi-septembre à la mi-décembre. Elles se déroulent dans le grand amphithéâtre de l'Assemblée générale à New York. Depuis les années 1950, les sessions ont tendance à s'allonger en raison d'un ordre du jour de plus en plus chargé, mais aussi à cause des multiples débats dus, en grande partie, aux oppositions nées de la guerre froide.

L'Assemblée générale tient également des sessions «extraordinaires» ou d'urgence. Elles sont convoquées soit par le secrétaire général de l'ONU ou le Conseil de sécurité*, soit à la demande d'une majorité d'États membres. Elles se tiennent toujours en raison de circonstances exceptionnelles : tensions internationales, déclenchements de conflits armés. Des sessions extraordinaires sont convoquées, par exemple en 1947, sur la question de la Palestine, lors de la crise de Suez, en 1956, plus récemment à l'occasion de la guerre du Golfe (1991) et de la crise irakienne.

L'Assemblée générale est l'organe central des Nations unies. Les 191 pays qui y sont représentés disposent chacun d'une voix, quelle que soit leur importance. L'Assemblée se réunit en session ordinaire une fois par an, ou en session extraordinaire en cas d'urgence.

Le Conseil de sécurité

Organe permanent, le Conseil de sécurité a la responsabilité du maintien de la paix et de la sécurité internationale. Ses quinze membres, dont cinq « permanents », disposent de pouvoirs étendus. Ils peuvent se réunir à tout moment en cas de crise internationale et décider du recours à la force armée.

Les débats

Un Etat représenté à l'ONU et non membre du Conseil de sécurité a la possibilité de participer aux débats s'il estime que ses intérêts sont en jeu. Il n'a toutefois pas de droit de vote.

Un système d'alerte

En jetant les bases de la future organisation internationale, les pays fondateurs envisagent, dès 1942, la création d'un Conseil de sécurité*. Objectif : créer une structure de dialogue pour gérer à chaud les crises. Selon la Charte des Nations unies*, il a la responsabilité du maintien de la paix et de la sécurité. Constitué en organe permanent, il peut se réunir à tout moment en cas de crise grave ou de guerre. Depuis sa création, il s'est réuni à de nombreuses reprises : conflits nés de la décolonisation, affrontements Est-Ouest, guerres israélo-arabes, guerres en ex-Yougoslavie.

À chaque réunion, ses membres examinent la situation, proposent l'ouverture d'un dialogue. Le Conseil de sécurité peut enquêter, tenter d'arranger tel ou tel différend entre deux pays, ordonner un cessez-le-feu.

Cinq membres permanents

À l'origine, le Conseil de sécurité se composait de onze membres ; il est aujourd'hui de quinze. Dix membres sont élus par l'Assemblée générale* pour une période de deux ans. Cinq d'entre eux sont membres permanents : les États-Unis, la Russie, la France, le Royaume-Uni et la Chine, ceux qu'on appelle souvent les « cinq Grands ». Leur statut de membres permanents leur donne plus de pouvoirs

origines   organisation

que les autres membres du Conseil. Cela résulte de la situation née de la Seconde Guerre mondiale. Les puissances alliées victorieuses ont acquis un poids politique sur la scène mondiale ; elles veulent, à travers le Conseil de sécurité, détenir une forme de pouvoir sur toutes les questions touchant à la sécurité internationale.

Le droit de veto

Les cinq membres permanents se sont octroyé un privilège de taille : le droit de veto*. Grâce à cette procédure, chacun d'entre eux peut à tout moment bloquer une décision, même si elle est adoptée par une majorité des membres du Conseil. Durant la guerre froide, les deux Grands – États-Unis et surtout Union soviétique – y ont eu souvent recours, ce qui contribua à paralyser l'action de médiation de l'ONU. Le droit de veto apparaît en fait comme un moyen pour chacun des Grands de préserver son influence et de maintenir son statut de « Grand » sur la scène internationale. Le champion toutes catégories du droit de veto aura été incontestablement l'Union soviétique, qui y a eu recours 116 fois, loin devant les États-Unis, avec 63 fois, et la France, avec seulement 18 fois.

Le pouvoir de sanction

Le Conseil de sécurité, qui peut se réunir à tout moment, dispose de moyens d'action. Il peut prendre des sanctions en cas de menaces contre la paix ou d'actes d'agression caractérisés. Il peut même autoriser l'usage de la force armée.

C'est sous son autorité directe que sont organisées des opérations de « maintien de la paix ». Ces dix dernières années, plus d'une trentaine ont été mises sur pied dans le monde. Le Conseil de sécurité peut décider également d'imposer un embargo d'ordre économique ou sur les ventes d'armes, comme par exemple, ces dernières années, à l'encontre de la Libye, de la Somalie, de l'Irak et des pays de l'ex-Yougoslavie.

Réforme à l'étude
Depuis 1993, un groupe de travail examine les propositions d'un certain nombre de pays, notamment l'Inde et plusieurs pays d'Amérique latine, pour modifier le nombre de membres permanents du Conseil de sécurité.

Pièce maîtresse du système des Nations unies le Conseil de sécurité est investi de la responsabilité principale du maintien de la paix et de la sécurité internationale. Il peut recourir à la force armée, imposer des sanctions économiques.

Le Secrétariat général

Véritable gouvernement des Nations unies, le Secrétariat général occupe quelque 6 000 fonctionnaires. Le rôle de son secrétaire général s'est renforcé au fil des années. Il dispose aujourd'hui d'un pouvoir aussi important que celui de l'Assemblée générale et du Conseil de sécurité.

Administration et diplomatie

Le Secrétariat général* est basé au siège permanent des Nations unies, à New York. Il constitue une énorme administration qui emploie quelque 25 000 fonctionnaires internationaux dans le monde, dont 6 000 d'entre eux occupent plusieurs étages du gratte-ciel de l'ONU dans Manhattan.

Le Secrétariat assure tout un ensemble de tâches administratives comme, par exemple, l'enregistrement et la publication des traités internationaux passés par des États membres. Il dispose aussi de services extérieurs comme les centres d'information des Nations unies présents dans une trentaine de capitales : Londres, Paris, Copenhague, Genève, Addis-Abeba, Dakar, Nairobi, Le Caire, Moscou, Athènes, Mexico, Tokyo, Djakarta.

Le grand patron de l'ONU

Le secrétaire général est le numéro un du système onusien. Il est désigné par l'Assemblée générale* pour une durée de cinq ans sur recommandation du Conseil de sécurité*. Un choix toujours délicat, car il doit respecter les grands équilibres géopolitiques. Son mandat est renouvelable.

Si, à l'origine, il a peu de pouvoir, son rôle s'est depuis notablement renforcé dans la pratique. Diplomate, animateur, le secrétaire général représente aujourd'hui

origines   organisation

le véritable pouvoir exécutif face à l'Assemblée générale et au Conseil de sécurité. Il peut désormais proposer l'inscription à l'ordre du jour, prendre position publiquement, engager des négociations pour le règlement des conflits. L'article 99 de la Charte des Nations unies* précise à ce propos que « *le secrétaire général peut attirer l'attention du Conseil de sécurité sur toute affaire qui, à son avis, pourrait mettre en danger le maintien de la paix et de la sécurité internationale* ».

Six secrétaires généraux en cinquante ans

L'organisation a eu six secrétaires généraux depuis sa fondation :

Trygve Lie (Norvège) :	1946-1953
Dag Hammarskjöld (Suède) :	1953-1961
U Thant (Birmanie) :	1961-1971
Kurt Waldheim (Autriche) :	1972-1981
Javier Pérez de Cuellar (Pérou) :	1982-1991
Boutros Boutros-Ghali (Égypte) :	1992-1996
Kofi Annan (Ghana) :	depuis décembre 1996

Le Secrétariat général de l'ONU représente le pouvoir exécutif face à l'Assemblée générale. À sa tête, le secrétaire général est un animateur et un diplomate. Il joue un rôle de premier plan sur la scène politique internationale.

La Cour internationale de justice

Les nations ont voulu se donner une sorte de juge de paix chargé de trancher leurs conflits et leurs différends. Cette juridiction internationale, installée à La Haye, rend des jugements qui ne peuvent être contestés ensuite par aucune autre cour de justice.

Une juridiction contestée par la France

Notre pays ne reconnaît plus la juridiction de la Cour internationale de justice depuis janvier 1974, celle-ci ayant examiné les plaintes de plusieurs pays, dont l'Australie et la Nouvelle-Zélande, contre la reprise des essais nucléaires dans le Pacifique.

Un tribunal mondial

La Cour internationale de justice* est l'organe judiciaire principal de l'ONU. Créée en 1945, son siège se trouve à La Haye (Pays-Bas). Sa mission est définie par la Charte* : rendre des arbitrages, juger des différends non entre les individus, mais entre les États.

Cette création est en fait l'aboutissement de plusieurs tentatives dans le passé pour instaurer un mécanisme d'arbitrage international. En 1899 est mise en place une Cour permanente d'arbitrage, à laquelle participent des pays européens, des États asiatiques et le Mexique. Installée à La Haye, elle devient, en 1920, Cour permanente de justice internationale. La même année, cet organisme est repris lors de la création de la SDN.

Une nouvelle organisation judiciaire est mise en place en 1945 sous les auspices des États-Unis, de la Chine, du Royaume-Uni et de l'URSS, dont les juristes vont établir les nouveaux statuts. Ceux-ci précisent que tous les États membres de l'ONU peuvent saisir cette juridiction ; la Cour s'occupe des litiges entre États qui, seuls peuvent se présenter devant elle. Enfin, celle-ci rend des avis dits «consultatifs» et formule des jugements qui sont obligatoires pour les parties

origines   organisation

adverses. Reste que la Cour n'accepte pas toujours les affaires dont on veut la saisir, elle peut même se déclarer incompétente. De plus, elle n'a pas de pouvoir coercitif, c'est-à-dire qu'elle n'a pas les moyens de faire appliquer des sanctions : aucune force de police n'est en effet à sa disposition.

Les juges

La Cour se compose de quinze magistrats. Ils sont élus pour neuf ans et peuvent être réélus. Triés sur le volet, ils sont choisis à la fois par l'Assemblée générale* des Nations unies et le Conseil de sécurité*, qui procèdent au vote simultanément mais dans des locaux séparés. Ils bénéficient du statut diplomatique.

Ces magistrats sont choisis parmi des personnes qui « *doivent jouir de la plus haute considération morale* ». Tous ne sont pas des magistrats professionnels. On trouve en effet parmi eux des professeurs de droit, des avocats et des hauts fonctionnaires. La répartition des membres de la Cour s'est faite entre les principales régions du monde, à savoir : Europe occidentale et orientale, Afrique, Amérique du Nord et du Sud, Asie.

Les décisions de la Cour

Depuis sa création, la Cour de justice a examiné une soixantaine d'affaires. Dans la plupart des cas, il s'agit de litiges juridiques, de contentieux, et non de conflits armés entre nations. Les États déposent une « requête », autrement dit une plainte. Assisté d'avocats ou de conseils, le plaignant apporte des pièces rédigées en anglais ou en français ; le différend est soumis à la Cour, qui formule ensuite un jugement. Une affaire peut se terminer de trois manières : l'arrangement à l'amiable, le désistement – le demandeur renonce à poursuivre la procédure –, enfin, l'arrêt, c'est-à-dire la décision prise par la Cour après délibération. Le jugement est prononcé en public.

Une Cour pénale internationale

En 1998, 120 pays, dont la France, ont créé une Cour pénale internationale, un accord ratifié depuis par une soixantaine de nations. La CPI aura le pouvoir de poursuivre et de juger des individus ayant commis des crimes de guerre dans les pays signataires de cet accord.

La Cour internationale de justice, instituée en 1945, fonctionne comme un tribunal mondial. Ses quinze juges, élus par l'Assemblée générale de l'ONU et le Conseil de sécurité, examinent les différends et les litiges juridiques entre les États membres et prononcent des jugements.

Le budget :
qui paie, qui dépense ?

Pour mener à bien ses multiples missions, l'ONU et ses différentes institutions doivent disposer d'importantes ressources budgétaires. Mais celles-ci augmentent moins vite que les dépenses. D'où une grave crise financière qui représente un sérieux handicap pour l'organisation mondiale.

Ceux qui paient le plus

Parmi les plus gros contributeurs au budget de l'ONU, deux pays n'ont pas de siège de membre permanent au Conseil de sécurité*. C'est le cas du Japon, avec plus de 200 millions de dollars, et de l'Allemagne, qui contribue en moyenne à hauteur de 100 millions de dollars.

Les ressources

Pour faire tourner le système onusien, il faut de l'argent, et même beaucoup d'argent. Le budget de l'ONU, approuvé tous les deux ans par l'Assemblée générale*, s'élève à 2,6 milliards de dollars. L'argent provient essentiellement des contributions des 191 États membres. Mais tout le monde ne paie pas la même chose, loin de là. Les plus grosses contributions viennent des États-Unis, qui assurent à eux seuls 22 % des ressources financières, du Japon (11 %), suivis de la Russie (près de 10 %). La quote-part tombe à 9 % pour l'Allemagne, à 6 % pour la France. Ces quotes-parts sont calculées en fonction du revenu de chaque pays. Le système repose sur une règle simple : les plus riches paient le plus, tandis que les plus pauvres versent au pot commun une obole symbolique. Aujourd'hui, seize pays assurent à eux seuls 85 % des recettes de l'Organisation.

Les dépenses

Où va l'argent ? Une bonne partie, environ un tiers, sert à payer les salaires des 50 000 salariés de l'Organisation, dont les 25 000 fonctionnaires interna- tionaux. Une partie du budget est utilisée pour

origines   organisation

toute une série de missions, d'actions sur le terrain dans des domaines comme les droits de l'homme, le développement économique, l'assistance humanitaire. Enfin, le budget sert à financer en partie les missions de maintien de la paix des contingents de Casques bleus envoyés dans les zones de conflit.

Les opérations de maintien de la paix dans le monde auront coûté en 2002 un peu plus de 1,3 milliard d'euros. À elle seule, l'opération de la FORPRONU en ex-Yougoslavie coûte chaque année près de 900 millions d'euros, dont une grande partie est, il est vrai, directement financée par les États membres.

Crise financière

Le «système» de l'ONU souffre depuis des années d'une crise financière chronique. Les dépenses augmentent en effet plus vite que les recette, ce qui a fini par entraîner un déficit de plus en plus important. En 2003, il manquait dans les caisses plusieurs centaines de millions de dollars. Un «trou» qui s'explique à la fois par de multiples gaspillages, un manque de rigueur dans la gestion, mais aussi un retard de paiement des contributions dues par certains États membres. Les effectifs pléthoriques de fonctionnaires, dont le nombre a été multiplié par quarante depuis la création de l'ONU, la bureaucratie et les dilapidations en tout genre expliquent en partie la situation.

Les «mauvais payeurs» sont aussi montrés du doigt. En 2003, 60 pays seulement sur 191 ont réglé leur contribution. Les États-Unis, le Japon et l'Allemagne figurent en tête des mauvais payeurs. Leurs arriérés atteignaient, en juin 2003, respectivement 1,3 milliard, 311 et 65 millions de dollars.

Ces retards de paiement ont une conséquence : l'ONU a de plus en plus de mal à financer les opérations de maintien de la paix et elle éprouve de sérieuses difficultés à rembourser les pays qui fournissent des soldats pour les différentes opérations en cours.

Rééquilibrage

Un accord est intervenu qui se traduit par une baisse de la quote-part des États-Unis et du Japon, les deux plus gros contributeurs au budget de l'ONU. Cette baisse sera compensée par une hausse de la contribution des nouveaux pays industrialisés, comme Singapour, le Brésil, l'Argentine, la Corée du Sud.

Le budget annuel de l'ONU s'élève à 2,6 milliards de dollars. L'Organisation souffre, depuis des années, d'un déficit chronique de ses comptes : trop de dépenses pour d'insuffisantes recettes.

La guerre froide

Dès 1947, l'ONU est confrontée à la guerre froide entre l'Est et l'Ouest. Le Conseil de sécurité devient le théâtre de rivalités entre les États-Unis et l'Union soviétique. Les graves désaccords entre les deux Supergrands paralysent l'organisation mondiale durant quarante ans.

Vers l'escalade : le blocus de Berlin

De 1948 à 1949, les autorités soviétiques imposent le blocus de Berlin. En réaction, les alliés approvisionnent les Berlinois en assurant un pont aérien. C'est l'escalade de la guerre froide.

Le mur de Berlin au niveau de la Friedrichstrasse en 1965.

Une guerre non déclarée

Entre 1945 et 1985, le monde est dominé par la confrontation entre les États-Unis et l'Union soviétique. Cette rivalité naît, à la fin de la Seconde Guerre mondiale, de la rupture de l'alliance entre les puissances victorieuses de l'Allemagne hitlérienne. La conférence de Yalta, puis celle de Potsdam, en 1945, doivent aboutir à un nouveau partage du monde entre les puissances occidentales et l'URSS. La volonté des Américains d'instaurer un nouvel ordre mondial va se heurter à la volonté hégémonique de l'Union soviétique, qui cherche à étendre son influence en Europe et en Asie. Il en résulte une longue épreuve de force entre les deux blocs, une guerre froide, une guerre en réalité non déclarée. Les deux superpuissances ne s'affrontent jamais directement, mais par belligérants interposés, comme par exemple en Corée en 1950, en Amérique centrale et au Vietnam au début des années 1960.

Affrontements au Conseil de sécurité

L' Organisation des Nations unies, dont la mission principale est le maintien de la paix, n'a pas pu empêcher cet antagonisme entre les deux blocs. À plusieurs reprises, on frôle même un conflit mondial. La paix ne peut être

origines organisation

maintenue que grâce à l'«équilibre de la terreur». Celui-ci résulte du fait que les États-Unis et l'URSS disposent d'armes atomiques. Un «équilibre» qui a sans doute permis d'éviter à la planète le déclenchement de l'apocalypse nucléaire.

Le Conseil de sécurité*, investi de la responsabilité du maintien de la paix, devient un véritable champ de bataille, les débats tournent à la querelle idéologique. Face aux États-Unis, accusés de manipuler le Conseil de sécurité, l'URSS doit utiliser à plusieurs reprises son droit de veto*, qui permet de bloquer toute décision, même votée par la majorité des membres. Le Conseil se retrouve alors dans l'incapacité de prendre des mesures appropriées lorsque des crises régionales éclatent. Cet antagonisme entre l'Est et l'Ouest rend impossible tout accord de désarmement nucléaire, ainsi que la mise en place d'une force armée permanente des Nations unies, qui aurait pu précisément garantir une sécurité collective.

Les interventions de l'ONU

En dépit des multiples blocages liés à la guerre froide, l'ONU intervient dans un certain nombre de conflits. Des troupes sont envoyées à sa demande en Corée et pendant la première guerre israélo-arabe.

– Le 27 juin 1950, le Conseil de sécurité adopte, en l'absence du représentant soviétique, une résolution* demandant aux Nations unies d'apporter une aide à la Corée du Sud (nationaliste), menacée par la Corée du Nord (communiste) ; *voir* pp. 30-31. Les troupes de l'ONU, envoyées par une quinzaine de pays et placées sous commandement américain, interviennent en Corée sous pavillon onusien. En juillet 1953, un accord d'armistice est signé à Pan Mun Jon.

– Le 4 novembre 1956, l'Assemblée générale* décide l'envoi d'une Force d'urgence des Nations unies (FUNU) au Proche-Orient lors de la crise de Suez. Objectif : obtenir le retrait des troupes israéliennes, françaises et britanniques du territoire égyptien.

Les crises de la guerre froide

Après le partage de Berlin entre les Soviétiques et les Occidentaux, en 1948, la guerre froide va rebondir en 1950 avec la guerre de Corée, puis avec le soulèvement de Budapest en 1956 et la construction du mur de Berlin en 1961. En 1962, la crise des missiles à Cuba poussera le président Kennedy à menacer d'utiliser l'arme nucléaire contre l'Union soviétique.

La guerre froide entre l'Est et l'Ouest constitue une menace permanente pour la paix du monde. L'ONU se trouve alors complètement désarmée pour assurer la sécurité internationale.

Un demi-siècle de crises

Longtemps paralysée par la guerre froide, l'ONU n'en est pas moins conduite à intervenir dans une série de crises et de conflits. Les forces de paix ont déjà été mobilisées près d'une soixantaine de fois.

Sombre bilan

Depuis 1945, aucune nouvelle guerre mondiale n'a éclaté, mais près de 80 conflits ont tout de même eu lieu. En dépit des interventions des forces de maintien de la paix de l'ONU dans certains de ces conflits, ils auront provoqué la mort de 20 millions de personnes dans le monde.

Conflits sous contrôle

Au cours des années 1990, l'ONU a contribué à rétablir la souveraineté au Koweït, envahi par les troupes irakiennes ; l'Organisation a également joué un rôle de premier plan pour mettre un terme à plusieurs guerres civiles au Cambodge, au Guatemala, au Mozambique et au Timor-Oriental.

Exemples d'opérations menées depuis 1948

· **Corée** : soutenue par la Chine populaire, la Corée du Nord, sous régime communiste, envahit le 25 juin 1950 la Corée du Sud (nationaliste). Le Conseil de sécurité* après avoir réclamé le retrait des troupes nord-coréennes envoie pour la première fois une force internationale. Les troupes, composées essentiellement de soldats américains opérant sous pavillon de l'ONU, mettent fin à l'agression. La paix est signée le 27 juillet 1953.

· **Canal de Suez** : le 4 novembre 1956, les troupes britanniques et françaises lancent une opération sur le canal de Suez. L'Assemblée générale* met en place une Force d'urgence des Nations unies (FUNU) au Proche-Orient, qui a pour mission d'assurer le retrait des troupes britanniques, françaises et israéliennes.

· **Chypre** : après son accession à l'indépendance en 1960, l'île connaît de vives tensions entre les communautés turque et grecque. Le Conseil de sécurité décide l'envoi de Casques bleus, au total 1 700 hommes. Ils forment la Force des Nations unies à Chypre (UNFICYP), toujours en place sur l'île.

· **Proche-Orient** : les conflits israélo-arabes ont amené l'ONU à intervenir à plusieurs reprises. Une première force d'urgence (FUNUI) est envoyée entre 1956 et 1967 dans la zone du canal de Suez et le long de la bande de Gaza. Pendant la guerre du Liban, déclenchée en 1975, est mise sur pied la Force intérimaire des Nations unies au Liban (FINUL), comprenant plus de 5 000 hommes.

origines | organisation

· **Rwanda** : la guerre civile entre ethnies Hutu et Tutsi, en 1994, a entraîné un génocide sans précédent en Afrique qui a fait près de 800 000 victimes. L'ONU enverra une force d'urgence de près de 6 000 hommes placés sous commandement militaire français. L'«Opération turquoise» avait pour principale mission la protection des populations civiles et la prévention de nouveaux massacres.

Mai 1993,
les Casques bleus
sont à Blazuj
en Bosnie.

· **Ex-Yougoslavie** : les guerres qui ont déchiré l'ex-Yougoslavie aux cours des années 1990 ont mobilisé les forces de maintien de la paix de l'ONU à diverses reprises. La FORPRONU (Force de protection des Nations unies) forte de 40 000 hommes, est intervenue à partir de mars 1992 en Croatie et en Bosnie-Herzégovine. En 1998, le conflit s'est étendu au Kosovo, province autonome de la République de Serbie. La communauté albanaise, de confession musulmane, qui revendique l'indépendance provoquera l'intervention de l'armée serbe. Une force internationale de paix (KFOR) composée de 45 000 soldats intervient au Kosovo pour éviter un embrasement.

· **Liberia** : la guerre civile au Liberia (Afrique de l'Ouest) déclenchée au début des années 1990 a déjà coûté la vie à près de 150 000 personnes, quelque 850 000 autres ont fui les combats pour se réfugier dans les pays voisins. Les Nations unies sont intervenues à plusieurs reprises par l'envoi de missions d'observation avant de décider en septembre 2003 le déploiement d'une force de maintien de la paix (MINUL). Créée pour une période de douze mois, cette mission devait comprendre 15 000 Casques bleus, en majorité des soldats africains.

Les Nations unies ont multiplié les opérations de maintien de la paix : pendant les quatre guerres israélo-arabes, à Chypre, au Cambodge, au Rwanda, en ex-Yougoslavie. Aujourd'hui, près de 40 000 Casques bleus sont déployés dans les zones de conflit.

Une légitimité indispensable mais contestée

Les conflits et les crises qui ont éclaté ces dernières années ont montré la capacité d'intervention de l'ONU, mais aussi les limites de son action, en particulier dans le maintien de la paix. Lors de la crise irakienne, c'est sa légitimité même qui a été mise en cause à travers les intérêts géopolitiques et stratégiques de certaines grandes puissances.

Gouvernance mondiale ?

« Les gens pensent que c'est un gouvernement mondial, alors que les Nations unies sont une organisation pathétiquement faible qui improvise dans l'urgence pour essayer que le pire ne se produise. » **Sir Brian Urquhart, ancien sous-secrétaire général de l'ONU.**

Climats de tension

« Nous les peuples des Nations unies, résolus à préserver les générations futures du fléau de la guerre », cette noble formule qui avait valeur d'engagement figure en bonne place dans le préambule de la Charte des Nations unies adoptée en 1945. Soixante ans plus tard, force est de constater que l'ONU est souvent dans l'incapacité d'empêcher les conflits. Et si sa vocation à assurer le maintien de la paix n'est pas mise en cause, sa légitimité à intervenir directement est en revanche de plus en plus contestée. Ainsi, durant la guerre froide, son fonctionnement a été sérieusement hypothéqué par le climat de tension qui régnait entre l'Union soviétique et les États-Unis.

Au cours des années 1990, les conflits en Somalie, au Rwanda, en ex-Yougoslavie ont montré que l'organisation, en dépit de la présence de dizaines de milliers de Casques bleus sur le terrain, n'a pu éviter l'extension de ces conflits. Les soldats de la paix ont même été la cible d'attaques, comme en Bosnie et plus récemment à Bagdad, où un attentat terroriste contre le siège de la délégation onusienne a fait plus de trente morts.

19 août 2003 : attentat contre le siège de l'ONU à Bagdad.

origines   organisation

La crise irakienne

La guerre déclenchée contre l'Irak début 2003 aura été le révélateur d'un profond malaise au sein de l'organisation internationale. Décidés à se débarrasser coûte que coûte de Saddam Hussein, les États-Unis ont provoqué une véritable crise en décidant de se passer l'autorisation des Nations unies. Les opposants, au premier rang desquels la France, préconisaient une poursuite des inspections pour rechercher des armes de destruction massive soi-disant détenues par le régime irakien avant de décider un recours à la force.

Les Américains ne l'entendaient pas de cette oreille, ils tentèrent de faire adopter une nouvelle résolution destinée à ouvrir la voie à la guerre. Avant même le dépôt du texte, les États-Unis, comprenant qu'ils n'obtiendraient pas une majorité au Conseil de sécurité* et qu'ils s'exposeraient en tout état de cause à un veto* de la France, ont décidé de lancer une l'offensive contre l'Irak et ce sans le feu vert des Nations unies. Une guerre illégale au regard du droit international dans laquelle c'est la loi du plus fort qui s'est imposée, créant du même coup un dangereux précédent.

L'influence des grandes puissances

L'ONU n'est que ce que les États en font, dit-on. Ce sont eux en effet qui la contrôlent, la financent, à commencer par les grandes puissances, qui sont aussi les plus gros contributeurs au budget. Aux yeux de la plupart des pays en développement, le système onusien, au lieu d'être un arbitre impartial, est un outil souvent utilisé en fonction des intérêts politiques et stratégiques des grandes puissances. Ainsi a-t-on vu l'ONU décider des interventions militaires dans certains cas et pas dans d'autres, des résolutions votées à l'unanimité du Conseil de sécurité n'être toujours pas appliquées.

Interventions sans l'aval de l'ONU

En 1979, l'ex-URSS s'est lancée dans une guerre de dix ans en Afghanistan ; en 1989, les États-Unis ont déployé 27 000 soldats au Panama ; l'intervention des Américains et de leurs alliés au Kosovo a été décidée sans passer par le Conseil de sécurité.

Les conflits de ces dernières années ont montré la capacité de l'ONU à se mobiliser et à intervenir. Mais ils ont aussi révélé les limites de son action dans certaines opérations de maintien de la paix.

Les résolutions

Les décisions prises par l'ONU prennent le plus souvent la forme de « résolutions ». Elles ont pour ainsi dire force de loi et doivent être respectées par les États membres. Les crises internationales et les conflits en ont considérablement augmenté le nombre.

De la guerre du Golfe à la crise irakienne : 26 résolutions

Au lendemain de l'invasion du Koweït par l'Irak, en septembre 1990, le Conseil de sécurité adoptera pas moins de 12 résolutions en l'espace de quatre mois. Elles vont d'une première condamnation de la part de la communauté internationale à plusieurs résolutions exigeant le retrait des troupes irakiennes et à l'ultimatum précédant le déclenchement de l'opération Tempête du désert le 17 janvier 1991. En mars 2003, les États-Unis ont déclenché une nouvelle guerre contre le régime de Saddam Hussein sans le feu vert de l'ONU. Elle a été précédée d'une grave crise aux Nations unies, les Américains décidant de ne pas présenter de nouvelle résolution devant le Conseil de sécurité. La France avait fait savoir qu'elle

▶ ▶ ▶

Pouvoirs de décision

L'ONU a-t-elle réellement du pouvoir ? La question est souvent posée. La Charte* lui en reconnaît au moins un : celui d'adopter des « résolutions* ». On entend par là un texte examiné au préalable et voté par les pays membres. Dans le jargon onusien, il faut distinguer les « résolutions » des « recommandations ». La différence est de taille : les « résolutions » sont en général obligatoires, alors que les « recommandations » ne sont que de simples avis. Les « résolutions » peuvent être adoptées par l'Assemblée générale* des Nations unies lors des sessions. Pour être adoptées, elles doivent être votées par une majorité de pays membres. Mais les « résolutions » ont un tout autre poids lorsqu'elles sont prises par le Conseil de sécurité*. Pour adopter une « résolution », neuf membres sur quinze qui le composent doivent voter oui. Si l'un des cinq membres permanents – France, États-Unis, Chine, Russie, Royaume-Uni – oppose son veto*, la résolution ne peut être adoptée. La Charte distingue les « décisions importantes » : ce sont celles qui touchent en particulier à la paix, à la sécurité internationale ou encore à l'admission de nouveaux pays membres.

Embargo, sanctions, opérations militaires

Les « résolutions », qui engagent l'autorité de l'organisation mondiale, peuvent avoir un aspect coercitif.

Basra, 1992 : queue pour l'eau potable après la résolution de l'ONU décrétant le blocus de l'Irak.

▶ ▶ ▶

mettrait son veto à un texte comportant un ultimatum. Plusieurs pays dont la Russie, la Chine et l'Allemagne, affichaient la même position. La crise irakienne, qui a abouti à l'intervention militaire américaine et à la chute de Saddam Hussein en avril 2003, aura mobilisé le Conseil de sécurité à plusieurs reprises : au total, 14 résolutions ont été adoptées, la plus récente, la 1511, portant sur un renforcement du rôle de l'ONU en Irak.

Certaines débouchent par exemple sur des sanctions économiques ou militaires. L'ONU a ainsi à plusieurs reprise imposé un embargo sur les ventes d'armes, ou encore instauré un blocus total, comme celui contre l'Irak lors de la guerre du Golfe. En cas de crise majeure, telle «résolution» peut décider le recours à la force, l'envoi de forces armées. Une bonne centaine de résolutions de ce type ont été adoptées depuis 1947.

La « 242 » : une résolution célèbre

Voter une «résolution», c'est toujours possible, encore faut-il la faire appliquer. L'ONU a parfois échoué dans ses tentatives d'imposer une solution politique. Le cas le plus célèbre est sans aucun doute celui de la «résolution 242». Elle concerne la question des territoires occupés par Israël : elle est adoptée en 1967, au lendemain de la guerre des Six-Jours. Elle stipule qu'Israël doit se retirer «des» territoires arabes occupés. La version anglaise du texte est plus vague. Elle parle en effet «de» territoires occupés, sans préciser lesquels, ce qui signifie qu'Israël ne serait pas tenu d'évacuer la totalité des territoires. L'ambiguïté de la formule n'a pas permis de trouver une solution définitive au conflit israélo-arabe. Trente-sept ans plus tard, la 242 n'est toujours pas appliquée…

> L'ONU peut faire des recommandations et voter des «résolutions». Celles-ci peuvent, en cas de crise grave, déboucher sur des sanctions économiques ou un recours à la force.

Les Casques bleus

Ils interviennent de plus en plus souvent dans les conflits et les crises. Ils sont aussi de plus en plus nombreux : aujourd'hui, près de 40 000 Casques bleus se trouvent sur tous les points chauds de la planète pour des missions d'observation et des opérations de maintien de la paix.

Les soldats de la paix

Qui sont ces militaires opérant sous le drapeau bleu des Nations unies ? Leur origine remonte à 1956. C'est Dag Hammarskjöld, alors secrétaire général de l'ONU, qui décide d'utiliser pour la première fois une force internationale lors de la crise de Suez, en 1956. Plusieurs centaines de soldats de la paix sont ainsi envoyés au Proche-Orient pour veiller au respect des accords de cessez-le-feu. La Charte* de l'ONU prévoit le recours à la force en cas de menaces contre la paix et l'envoi de troupes. Depuis 1948, plus de 750 000 Casques bleus ont participé à 57 opérations de maintien de la paix. Le nombre de Casques bleus actuellement sur le terrain atteignait fin 2003 38 287 hommes.

Depuis 1948, près de 1 800 Casques bleus ont été tués au cours d'opérations de maintien de la paix. En ex-Yougoslavie, en l'espace de trois ans, l'ONU déplore la perte d'une centaine de militaires, dont une quarantaine de soldats français. Ici, à Sarajevo, en 1994, l'évacuation des victimes après une attaque serbe sur le marché.

Le recrutement

Il n'existe pas à proprement parler d'armée de l'ONU, mais des contingents placés sous l'autorité directe du secrétaire général de l'Organisation, qui fait fonction de commandant en chef. En cas de crise, ce dernier demande aux pays, avec l'accord du Conseil de sécurité*, de fournir un certain nombre de soldats pour constituer la force de paix.

Le personnel militaire est composé ordinairement de militaires de carrière – officiers, sous-officiers, soldats – dont les unités sont affectées à une opération pour une période déterminée. Ils sont rémunérés par leur gouvernement.

origines   organisation

Maintien de la paix et missions d'observation

Les interventions des Casques bleus revêtent deux aspects : forces de maintien de la paix et missions d'observateurs non armés. L'opération de maintien de la paix consiste à placer une force d'interposition entre les belligérants. D'une part pour prévenir un risque d'escalade, une aggravation des hostilités. D'autre part pour favoriser l'instauration d'un dialogue. Les Casques bleus ne peuvent en aucun cas prendre parti, engager le combat. Ils ne peuvent que riposter en cas d'agression.

Les missions d'observation sont fort différentes. Il s'agit de vérifier le respect d'accords politiques ou de cessez-le-feu. Ces missions sont généralement constituées de troupes non armées patrouillant dans des zones démilitarisées, mais également de policiers et de personnel civil. Depuis 1948, une quinzaine de missions ont été envoyées sur le terrain. Actuellement, plusieurs sont en cours, notamment à Chypre, en Angola, en Sierra Leone.

Vers une armée permanente ?

Confrontée à un nombre croissant de crises, l'Organisation manque manifestement de moyens pour remplir ses missions. Faut-il alors armer l'ONU ? Responsables politiques, experts et militaires posent depuis longtemps la question. La situation en ex-Yougoslavie, où les Casques bleus ont été victimes de « snipers » (tireurs isolés) et pris en otage, comme en mai 1995, souligne de façon dramatique l'inefficacité de l'ONU face à des agressions caractérisées.

Kofi Annan, actuel secrétaire général, voudrait créer une véritable force multinationale d'intervention rapide qui se rendrait sur le terrain dès qu'une crise éclate. Mais, pour beaucoup de spécialistes, il faut aller plus loin et créer une armée permanente dotée de capacités militaires étendues.

Des opérations « sous-traitées »

L'utilisation de forces d'interposition sous mandat de l'ONU ne comportant pas de Casques bleus sont de plus en plus fréquentes. On compte aujourd'hui plusieurs opérations de ce type, notamment en Afghanistan, en Bosnie, au Kosovo et en Côte d'Ivoire.

40 000 Casques bleus sont présents aujourd'hui sur les points chauds de la planète. Ils sont engagés dans deux types d'opérations : les opérations de maintien de la paix et les missions d'observation.

Sur tous les fronts

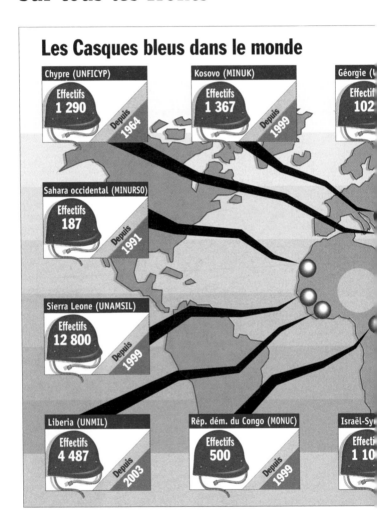

Les Casques bleus dans le monde

Chypre (UNFICYP)
Effectifs
1 290
Depuis 1964

Kosovo (MINUK)
Effectifs
1 367
Depuis 1999

Géorgie (
Effecti
102

Sahara occidental (MINURSO)
Effectifs
187
Depuis 1991

Sierra Leone (UNAMSIL)
Effectifs
12 800
Depuis 1999

Liberia (UNMIL)
Effectifs
4 487
Depuis 2003

Rép. dém. du Congo (MONUC)
Effectifs
500
Depuis 1999

Israël-Sy
Effecti
1 10

origines | organisation

Liban (FINUL)
Effectifs
1 987
Depuis 1978

Inde-Pakistan (UNMOGIP)
Effectifs
44
Depuis 1949

Depuis 1993

Timor (MANUTO)
Effectifs
3 372
Depuis 2002

Moyen-Orient (ONUST)
Effectifs
153
Depuis 1948

)F)

Depuis 1974

Éthiopie-Érythrée (UNTSO)
Effectifs
143
Depuis 2000

UN

Des réformes urgentes

**Présente sur tous les fronts depuis près de soixante ans, l'ONU est néanmoins critiquée pour son inefficacité.
La crise irakienne a relancé le débat sur une réorganisation du système onusien qui lui permettrait de jouer un véritable rôle d'arbitre dans le règlement des crises.**

« L'ONU est loin d'être un instrument parfait, mais c'est un instrument précieux. Je vous engage à vous mettre d'accord sur les moyens de l'améliorer pour préserver les générations futures du fléau de la guerre. »
Kofi Annan à l'Assemblée générale des Nations unies, septembre 2003.

Un système inadapté

Une bureaucratie tentaculaire, des instances qui deviennent parfois le champ clos de rivalités entre pays, des Casques bleus paralysés face à l'action de petits groupes armés, des moyens insuffisants... bref, l'ONU fonctionne mal. Des maux qui sont à l'origine de la faiblesse de l'institution.
La difficulté d'une réforme de fond tient à la Charte* adoptée en 1945. Elle précise qu'il faut un vote favorable des deux tiers des 191 membres de l'Assemblée générale*, à quoi doit s'ajouter une ratification par les Parlements nationaux des deux tiers des pays membres ; de plus, aucun veto ne doit être décidé par un des membres permanents du Conseil de sécurité*. Autre problème récurrent : les comptes de l'Organisation, qui sont depuis plusieurs années dans le « rouge ». Plusieurs pays, dont les États-Unis et le Japon, tardent à régler leur contribution financière, une situation qui contraint l'ONU depuis plusieurs années à s'endetter pour continuer à fonctionner, à payer ses milliers de fonctionnaires.

L'appel de Kofi Annan

Le secrétaire général des Nations unies, Kofi Annan, préconise une réforme radicale pour sauver l'ONU. Dans un discours sur l'état de la communauté internationale prononcé fin 2003, six mois après le déclenchement de la guerre en Irak, il considérait que le système de sécurité collective hérité de la Seconde Guerre mondiale était menacé : montée en puissance du terrorisme international, escalade de la violence dans certaines régions du monde (Moyen-Orient, Afrique, Asie centrale, etc.) risques accrus de dissémination d'armes de destruction massive, etc. Selon Kofi Annan , *« l'ONU doit avoir des règles, des instruments et des institutions qui nous permettent de faire face à ces nouvelles menaces »*.

Le débat lancé par Kofi Annan débouchera-t-il sur des mesures concrètes ? Beaucoup de diplomates en doutent car il apparaît difficile de dégager aujourd'hui une majorité claire en faveur d'une réorganisation en profondeur de l'institution. Les pistes de réformes évoquées concernent, entre autres, le fonctionnement de l'Assemblée générale, du Conseil économique et social et du Conseil de sécurité* et une révision du droit de veto* réclamée par certains pays de l'hémisphère Sud.

Un Conseil de sécurité élargi ?

La réforme du Conseil de sécurité occupe aujourd'hui le devant de la scène. Elle est la plus réclamée mais aussi la plus controversée. Beaucoup de pays, surtout ceux de l'hémisphère Sud, considèrent que les pays occidentaux sont surreprésentés au sein du Conseil. Un consensus semble se dégager sur l'idée d'accorder un siège de membre permanent au Japon, à l'Allemagne et à l'Inde, en revanche, de nombreuses nations estiment qu'il ne faudrait pas leur donner un droit de veto. Certains pays plaident pour un Conseil encore plus élargi, comme le Royaume-Uni, qui propose de faire rentrer cinq membres permanents supplémentaires ainsi que quatre membres non permanents, ce qui porterait à 24 le nombre d'États membres du Conseil de sécurité.

Droit de veto
Les États-Unis s'opposent à la remise en cause de ce droit, privilège des membres permanents du Conseil de sécurité. La France, en revanche, serait favorable à la limitation du droit de veto, uniquement en cas de recours à la force par un pays contre un autre. Plusieurs pays en dévelop-pement souhaiteraient abolir ce droit qui leur apparaît comme le privilège des grandes puissances.

Pour améliorer le fonctionnement de l'ONU, notamment en matière de maintien de la paix, des réformes apparaissent nécessaires. Elles concernent une réorganisation de la machine ONU et en particulier du Conseil de sécurité.

Maintien de la paix et désarmement

La vocation première de l'ONU est le maintien de la paix. Pour y parvenir, elle a mis en place un « système de sécurité collective ». Elle a recours à la « diplomatie préventive » ainsi qu'au déploiement de Casques bleus. Elle œuvre également en faveur du désarmement.

La « diplomatie préventive »

On doit le concept de « diplomatie préventive » à Dag Hammarskjöld, secrétaire général des Nations unies de 1953 à 1961. Elle vise à éviter que les différends entre nations ne débouchent sur des crises majeures et sur des guerres. Elle prévoit en cas de tensions le déploiement d'observateurs de l'ONU ou de forces d'interposition.

Le règlement des crises

La Charte des Nations unies* consacre une large place à la question du maintien de la paix. Au lendemain de la Seconde Guerre mondiale, les puissances alliées cherchent à élaborer des mécanismes afin de prévenir les conflits. La Charte indique que les États doivent « *éviter de recourir à la menace et chercher à régler leurs différends par des moyens pacifiques* ». Autrement dit par des négociations et des accords. Pour y parvenir, on crée le Conseil de sécurité*. C'est à cette instance qu'incombe, depuis cinquante ans, la responsabilité principale du maintien de la paix.

Pour éteindre les foyers de crise, l'ONU se dote, dès 1948, d'un système dit de « sécurité collective ». Le Conseil de sécurité est pourvu de larges pouvoirs de décision. Il peut, si la paix est menacée, prendre des sanctions diplomatiques et économiques en imposant, par exemple, un embargo commercial. Il peut aussi opter pour le recours à la force, envoyer des troupes multinationales en cas de conflit.

Ces décisions ne permettent sans doute pas d'éviter toutes les guerres. Mais, dans certaines situations, elles empêchent une aggravation des hostilités et contribuent à sauver des vies humaines.

Un agenda pour la paix

En 1992, Boutros Boutros-Ghali, secrétaire général des Nations unies, exprime sa conception de ce que devrait

origines   organisation

être le maintien de la paix. Dans un texte devenu célèbre, baptisé «Agenda pour la paix», il préconise de nouvelles orientations, en particulier un renforcement du rôle du Conseil de sécurité. Son objectif : donner une plus grande efficacité, plus de moyens et plus de pouvoirs à l'Organisation dans la prévention des crises. Le secrétaire général propose, par exemple, de pratiquer ce que l'on appelle, dans le jargon onusien, une «diplomatie préventive*». Il s'agirait d'instaurer un système d'alerte rapide qui se déclencherait dès que l'on constaterait une menace contre la paix. Pour éviter qu'un conflit entre deux pays ne dégénère, cette méthode consisterait à envoyer des Casques bleus avant le début des hostilités plutôt qu'après (comme c'est souvent le cas aujourd'hui). Bref, prévenir plutôt que guérir !

Boutros-Ghali (à gauche) et John Major, le Premier ministre britannique en 1992, au siège de l'ONU.

Désarmement et sécurité internationale

La question du désarmement demeure au centre des problèmes posés à l'Organisation des Nations unies. La surabondance d'armements, notamment nucléaires, représente une menace permanente pour la sécurité de la planète. Dès 1946, l'Assemblée générale* des Nations unies crée une Commission de l'énergie atomique. Son but : garantir l'utilisation de l'atome à des fins exclusivement pacifiques. En 1952, une Commission du désarmement voit le jour ; elle est chargée de faire des propositions en matière de limitation des armements. Mais, très vite, la guerre froide relance la course aux armements. Pendant cette période, les États-Unis et l'Union soviétique renforcent au contraire leurs arsenaux nucléaires.

Il faut attendre la fin des années 1970, période de détente, pour que la question du désarmement revienne sur le devant de la scène. En 1978, l'Assemblée générale vote une recommandation (*voir* pp. 34-35) en faveur du désarmement.

Le maintien de la paix est la mission principale de l'ONU. Elle est explicitement prévue dans la Charte signée en 1945. L'Organisation favorise aussi toutes les négociations visant au désarmement.

Les droits de l'homme

Le respect des droits de l'homme et des libertés fondamentales figure en bonne place dans la Charte de l'ONU. Plusieurs instances du système onusien, dont la Commission des droits de l'homme, veillent au respect de ces droits.
Ce qui n'empêche pas de graves violations dans certains pays.

La Commission des droits de l'homme

La communauté internationale s'est dotée, en 1948, de la Déclaration universelle des droits de l'homme, qui énumère les grands principes avec un idéal commun : «*protéger tout homme et protéger les droits de tous les hommes*», comme l'a dit le grand juriste français René Cassin.

Une Commission des droits de l'homme est chargée de mettre en œuvre ces dispositions en matière de droits civils et politiques, sociaux, économiques et culturels.

Cette commission se réunit chaque année pendant six semaines. Une sous-commission s'occupe plus spécialement de la lutte contre les mesures discriminatoires et la protection des minorités. Deux pactes internationaux concernent directement le respect des droits de l'homme. Le premier, signé en 1966, est consacré aux droits sociaux, économiques et culturels ; le second, signé en 1976, porte sur les droits civils et politiques. À ce jour, plus d'une centaine de pays les ont ratifiés. Plusieurs conventions ont par ailleurs été adoptées par les pays membres. Elles portent notamment sur l'élimination de toutes les formes de discrimination raciale et l'abolition de la peine de mort.

« Résolution 1503 »
Pour faire face aux violations des droits de l'homme, l'ONU vote en 1970 la «résolution* 1503». Cette procédure permet d'examiner les plaintes de particuliers dénonçant les violations flagrantes des droits de l'homme. Des enquêtes peuvent ensuite être menées dans les pays concernés par ces plaintes. Le Salvador, Cuba, l'Iran, la Guinée équatoriale, l'ex-Yougoslavie et l'Irak ont fait ces dernières années l'objet de ce type de procédure.

origines   organisation

La prohibition de la torture

En 1975, l'Assemblée générale* adopte la «Déclaration sur la protection des personnes contre la torture et autres traitements cruels, inhumains ou dégradants». Étant donné la gravité du sujet et la nécessité de condamner les actes allant à l'encontre de la dignité humaine, l'ONU prend une série de dispositions pour lutter contre ces crimes. Un Comité contre la torture est mis en place, qui se compose d'experts indépendants. Ils sont chargés d'examiner les plaintes de particuliers. Ce comité peut aussi mener des enquêtes sur place. Quant aux personnes victimes de tortures, elles ont la possibilité de porter plainte auprès de l'ONU. En 1981 a été créé un fonds spécial pour apporter aux victimes de tortures une aide humanitaire, juridique et financière.

Les droits de l'enfant

110 millions d'enfants sont abandonnés par leurs parents, ou contraints d'effectuer des travaux dégradants, ou encore de se prostituer. 150 millions d'enfants de moins de 5 ans vivent dans des conditions de pauvreté absolue ; 8,4 millions de mineurs dans le monde sont victimes de mauvais traitements, d'abus sexuels.

Pourtant, la communauté internationale avait adopté, dès 1959, une «Déclaration des droits de l'enfant». En 1990, 168 pays signent une convention internationale reconnaissant le droit à tout enfant de bénéficier d'une protection spéciale et de facilités lui permettant de vivre, d'étudier et de se développer normalement. Un «Comité des droits de l'enfant», composé de dix experts dépendant des Nations unies, veille au respect de ces droits. Il peut transmettre notamment à l'UNICEF* (Fonds des Nations unies pour l'enfance) les demandes d'assistance. Si ces droits sont officiellement reconnus par une majorité d'États, il reste à les faire appliquer sur le terrain. Or c'est encore très loin d'être le cas !

> La défense des droits de l'homme est l'une des grandes missions de l'ONU. Des pactes internationaux et des conventions en précisent règles et grands principes, que les États doivent respecter.

L'éducation, la science et la culture

« Rapprocher les hommes et œuvrer pour la paix », telle est la mission que s'est fixée l'UNESCO (Organisation des Nations unies pour l'éducation, la science et la culture). Ses compétences sont vastes : éducation, alphabétisation, communication, coopération scientifique, sciences humaines, protection du patrimoine mondial.

Analphabétisme

La lutte contre l'analphabétisme est à la base de l'action de l'UNESCO. Il faut savoir que plus de 200 millions d'enfants en âge scolaire dans le monde ne savent ni lire ni écrire. Des missions de formation sont régulièrement envoyées en Afrique, en Amérique latine et en Asie.

Origines et fonctionnement

L'UNESCO* est une institution spécialisée des Nations unies. 190 pays y sont représentés (Brunei en Asie du Sud-Est n'en fait pas partie). Elle a été créée au lendemain de la Seconde Guerre mondiale. Beaucoup de pays dévastés par 4 années de conflit devaient résoudre des problèmes urgents : remise sur pied des systèmes d'enseignement bouleversés par l'Occupation, réouverture des musées et des bibliothèques. Lors de la conférence de Londres, en 1945, 44 pays fondent l'UNESCO, dont le siège sera basé à Paris.

L'institution se fonde sur les principes généraux de la Charte des Nations unies*. L'acte officiel qui la constitue précise que *« les guerres prenant naissance dans l'esprit des hommes, c'est dans l'esprit des hommes que doivent être élevées les défenses de la paix »*. Objectif assigné par les fondateurs : *« Contribuer au maintien de la paix et de la sécurité en resserrant par l'éducation, la science et la culture, la collaboration entre nations, afin d'assurer le respect de la loi, des droits de l'homme et des libertés fondamentales. »*

origines   organisation

Les actions de l'UNESCO

À sa création, l'UNESCO a pour mission la mise en œuvre de grands programmes de reconstruction dans le domaine de l'éducation. Celui-ci demeure la priorité. Plusieurs projets sont mis en œuvre, visant à développer l'éducation élémentaire pour tous, en particulier dans les pays du tiers-monde.

La science et la culture constituent les deux autres grands champs d'action de l'UNESCO. Dans le domaine scientifique, l'institution soutient une pléiade de programmes dans les sciences de la nature, les sciences sociales et humaines. Le domaine culturel est là aussi particulièrement vaste : il va de la communication, de l'édition d'ouvrages, de l'organisation d'expositions à la protection du patrimoine mondial. En 1972, l'UNESCO adopte une convention concernant la sauvegarde du patrimoine mondial naturel et culturel. En signant cette convention, les États s'engagent à protéger, sur leur propre territoire, les œuvres, sites ou monuments reconnus comme tels. Dans le passé, plusieurs lieux célèbres ont pu être ainsi sauvés et restaurés comme, par exemple, les temples de Nubie ou de Borobudur (Indonésie) ou encore la restauration de la bibliothèque d'Alexandrie (Égypte).

Les crises

L'UNESCO a été le théâtre de crises d'origine politique qui l'ont fragilisée. Au milieu des années 1970, les pays du tiers-monde, soutenus par l'Union soviétique, s'opposent régulièrement aux puissances occidentales, et en particulier aux États-Unis. L'UNESCO devient le champ clos de rivalités politiques entre ces derniers et une grande partie des pays en voie de développement représentés en son sein. Le gouvernement américain, suivi du Royaume-Uni et de Singapour, quitte l'institution en 1984. Il s'ensuit une sérieuse crise financière, car les États-Unis assuraient près du quart de ses ressources. Le Royaume-Uni et Singapour ont réintégré l'UNESCO en 1997, les États-Unis en 2003.

190 pays membres

Depuis 1999, L'UNESCO est dirigée par le Japonais Koïchiro Matsuura. L'organisation comprend une Conférence générale, qui réunit les représentants des 190 pays membres, et un Conseil exécutif, composé de 51 membres élus pour quatre ans, qui est chargé d'élaborer le programme d'action et le budget.

L'UNESCO est l'institution spécialisée des Nations unies pour l'éducation, la science et la culture. 190 pays y sont représentés. Elle intervient dans toute une série de domaines à travers des programmes d'action et de coopération internationales.

Agriculture et alimentation

Les besoins alimentaires de la planète sont encore très loin d'être satisfaits. La FAO, l'Organisation pour l'alimentation et l'agriculture, met en place des programmes d'aide pour élever le niveau de nutrition des populations les plus pauvres.

Les activités de la FAO

L'Organisation pour l'alimentation et l'agriculture (FAO*) a été créée en 1945. Elle constitue la plus grande institution du système onusien et regroupe aujourd'hui 183 États. Quelque 6 000 fonctionnaires travaillent à la FAO. Ils sont répartis entre le siège, basé à Rome, 7 bureaux régionaux et 74 sous-régionaux, dont 40 en Afrique. Le principal objectif de la FAO est la lutte contre la faim, l'élimination de la malnutrition. Un gigantesque travail lorsqu'on sait qu'il y a dans le monde 840 millions de personnes sous-alimentées. Dans son rapport 2003, l'institution souligne une augmentation du nombre de personnes sous-alimentées au cours de la dernière décennie. Dans ces conditions, il sera impossible d'atteindre l'objectif fixé en 1996, qui était de réduire de moitié d'ici à 2015 le nombre de personnes souffrant de la faim.

Les activités de la FAO sont multiples : mise en valeur des terres et des eaux, production végétale et animale, forêts, pêcheries, contrôle de la qualité des aliments. La FAO fournit une aide directe au développement, ses experts conseillent les gouvernements en matière de politique alimentaire et agricole. Ils délivrent également une assistance technique dans des domaines comme la nutrition, le génie agricole, la réforme agraire ou encore la télédétection des ressources naturelles. L'institution parraine des projets de développe-

origines   organisation

ment dans ces secteurs qui représentent chaque année près de 2 milliards d'euros ; en 2003, le budget qui y a été consacré s'est élevé à 1,6 milliards d'euros.

Le Programme alimentaire mondial

Pour faire face aux pénuries et aux situations d'urgence, la FAO a mis sur pied, depuis 1961, un Programme alimentaire mondial (PAM). Placé sous l'autorité conjointe de l'ONU et de la FAO, il vise à assurer la distribution de produits alimentaires aux pays confrontés à des problèmes de malnutrition. Il consiste à écouler les excédents agricoles, essentiellement des céréales – maïs, blé, etc. –, à les mettre gratuitement à la disposition des régions du globe qui en ont le plus besoin. Les produits alimentaires, distribués dans le cadre de ce programme, proviennent pour l'essentiel des pays riches : Union européenne, États-Unis et Canada. L'aide alimentaire du PAM représente actuellement le quart de l'aide mondiale, elle a atteint en 2003 16 millions de tonnes.

Les aides d'urgence

Ces dernières années, la gravité de la situation dans certaines régions a conduit la FAO à mettre en place une réserve alimentaire internationale d'urgence. Celle-ci s'est montée à plus de 700 000 tonnes de céréales en 2003. Parallèlement ont été mis sur pied des secours alimentaires d'urgence suite à des catastrophes naturelles, des exodes de populations, des guerres civiles.

Les responsables du Programme alimentaire mondial estiment que le niveau actuel de l'aide devra être doublé d'ici à 2015 pour couvrir les besoins nutritionnels des pays les plus pauvres. Les pénuries alimentaires se sont encore aggravées, en particulier en Afrique, et exigent une assistance exceptionnelle. Des opérations d'aide alimentaire d'urgence se sont multipliées depuis le début des années 1990, notamment en Angola, au Rwanda, au Burundi, au Liberia et au Mozambique.

> « *L'agriculture est la mère de tous les arts ; lorsqu'elle est bien conduite, tous les autres arts prospèrent, mais lorsqu'elle est négligée, tous les autres arts déclinent, sur terre comme sur mer.* » Xénophon, historien et philosophe grec, IVe siècle avant J.-C.

L'Organisation pour l'alimentation et l'agriculture (FAO) combat la pauvreté et la faim dans le monde à travers un programme alimentaire mondial et un dispositif d'aides d'urgence

La protection de l'enfance

Les Nations unies jouent un rôle clé dans la protection de l'enfance. L'UNICEF (Fonds des Nations unies pour l'enfance) mène des actions de terrain, coopère avec les gouvernements en matière de santé, d'éducation et de nutrition.

Enfants du monde : statistiques alarmantes

– 40 000 enfants de moins de 5 ans meurent chaque jour des effets combinés de la malnutrition, des maladies infectieuses et parasitaires ;
– 149 millions d'enfants de moins de 5 ans souffrent de malnutrition ;
– 100 millions d'enfants de 6 à 11 ans, dont deux tiers de filles, ne vont pas à l'école ;
– 246 millions d'enfants sont contraints de travailler ;
– 500 000 femmes meurent chaque année des suites de leurs grossesses ou de leurs accouchements, laissant plus d'un million d'orphelins.

L'organisation

Au lendemain de la Première Guerre mondiale, près de 20 millions d'enfants à travers l'Europe sont victimes de malnutrition ou atteints de graves maladies, comme la tuberculose. Herbert Hoover, trente et unième président américain, avertit : « *Si l'on veut relever l'Europe, il faut faire quelque chose pour ces enfants.* » En 1946, l'une des premières tâches de l'Assemblée générale* des Nations unies est de jeter les bases d'un fonds international des Nations unies pour les secours d'urgence à l'enfance. L'UNICEF*, sigle anglais pour « United Nations International Children Emergency Fund », est né. Sa mission : porter secours aux enfants victimes d'agressions, des guerres, sans distinction de race ni de nationalité, mais aussi intervenir en faveur de la santé de l'enfant en général.

L'UNICEF devient un organe permanent des Nations unies à partir de 1953. Il dispose d'un siège à New York et d'une organisation à l'échelle mondiale avec 200 bureaux permanents, dont une large majorité dans les pays en développement.

L'organisation dispose de 7 000 fonctionnaires répartis dans 162 pays, dont 80 % effectuent des missions sur le terrain. Les ressources de l'UNICEF proviennent de contributions volontaires, tant gouvernementales que privées, et non pas de versements obligatoires des États membres, comme c'est le cas par exemple pour la FAO* ou l'OMS*.

origines   organisation

Le budget annuel, qui s'élève à près de 1 milliard d'euros, est consacré d'abord aux secours d'urgence et à la santé de l'enfant.

Travail de terrain

Les missions de l'UNICEF portent sur quatre grands domaines : la santé, l'éducation, l'alimentation, l'hygiène et l'accès à l'eau potable. Au cours de la dernière décennie, l'organisation a, par exemple, fait vacciner 90 millions d'enfants dans les pays pauvres et a fourni des équipements d'assainissement d'eau à 820 millions de personnes.

En 1990, le « Sommet mondial pour les enfants » avait fixé deux objectifs :

– d'ici à l'an 2002, réduire d'un tiers la mortalité des enfants et de moitié la malnutrition chez les enfants de moins de 5 ans ;

– porter à 90 % le taux de vaccination.

Sur une décennie, des progrès ont été réalisés, en particulier en matière de lutte contre l'analphabétisme et de vaccination. Mais il reste encore beaucoup à faire, d'autant que le sort des enfants demeure étroitement lié à la situation de leur pays. Pour les années à venir, l'UNICEF veut porter l'accent sur l'éducation des enfants, en particulier des filles, moins scolarisées que les garçons, notamment dans les pays pauvres. Il a lancé une campagne internationale en vue d'accélérer les efforts visant à éliminer d'ici à 2005 les disparités entre les sexes dans l'enseignement primaire et secondaire.

Priorité au tiers-monde

Depuis sa création, l'UNICEF intervient principalement dans les pays en voie de développement, car c'est là que les urgences sont les plus criantes. Rwanda, Liberia, Soudan, Somalie, Afghanistan… : autant de pays où la guerre et les catastrophes naturelles ont touché surtout les enfants. Les opérations de secours ont d'ailleurs tendance à s'accroître : 26 pays sont concernés en 1990, 85 en 2002.

L'UNICEF a un objectif : protéger la vie des enfants menacés et promouvoir leur développement. L'organisation, présente dans 162 pays, intervient en matière de santé, d'alimentation, d'éducation et d'hygiène.

L'assistance aux réfugiés

Depuis sa création, il y a cinquante ans, le Haut-Commissariat des Nations unies pour les réfugiés (HCR) a secouru plus de 40 millions de personnes dans le monde. Une tâche qui s'est considérablement développée en raison des crises et des guerres.

Interventions du HCR

Les principaux programmes d'assistance du HCR en 2003 ont été l'Afghanistan, l'Angola, le Liberia, l'Irak, le Pakistan, la République démocratique du Congo, le Burundi, l'Ouganda, la Sierra Leone, le Kosovo.

Un enfant afghan attendant la distribution de nourriture dans un camp de réfugiés au Pakistan en février 2001.

Les origines

Les guerres, les persécutions, les discriminations poussent des personnes à fuir parce qu'elles craignent pour leur vie. La communauté internationale ne prend conscience que tardivement du problème des réfugiés. La première tentative pour fournir une protection à l'échelle mondiale remonte à la Société des Nations (SDN), qui précède l'ONU. L'Assemblée générale* des Nations unies crée, en 1951, le Haut-Commissariat des Nations unies pour les réfugiés (HCR*). Il s'agit alors de venir en aide aux millions de réfugiés européens, hommes, femmes et enfants, qui ont fui leur pays au cours de la Seconde Guerre mondiale. Le HCR, basé à Genève, emploie quelque 5 000 fonctionnaires internationaux dans 123 pays.

Les conflits divers provoquent des exodes massifs aux quatre coins de la planète. Le flot ne cesse de croître depuis. En 2004, on compte 20 millions de réfugiés dans le monde, auxquels il faut ajouter 30 millions d'homme, de femmes et d'enfants déplacés à l'intérieur de leur propre pays. Les Afghans constituent la population réfugiée la plus nombreuse, avec un peu plus de 2,5 millions de personnes, soit plus de 10 % du nombre total de réfugiés dans le monde.

origines | organisation

Le statut de réfugié

Qu'est-ce qu'un réfugié ? Une convention internationale, signée en 1951, et un protocole précisent son statut : « *Un réfugié est une personne craignant avec raison d'être persécutée du fait de sa race, de sa nationalité, de son appartenance à un groupe social ou de ses opinions politiques, qui se trouve hors du pays dont elle a la nationalité et qui ne peut pas ou, du fait de cette crainte, ne veut pas se réclamer de la protection de ce pays.* »

Sur le terrain, le HCR, intervient auprès des gouvernements afin que les réfugiés puissent bénéficier de certaines garanties, comme par exemple ne pas être expulsés ou rapatriés de force.

Missions humanitaires

La fonction essentielle du HCR est d'assurer la protection internationale des personnes réfugiées. Cela se traduit concrètement par des missions d'assistance sur le terrain. Il fournit une assistance matérielle sous forme de secours d'urgence, d'aide alimentaire, de soins médicaux et de logements. L'aide porte également sur l'installation des réfugiés dans le pays d'accueil, sur les frais de voyage, etc.

Le HCR veille par ailleurs à l'application du statut du réfugié. Ce statut énonce un certain nombre de droits reconnus par la convention de 1951 : protection contre le refoulement et les détentions irrégulières, droit à l'emploi, à l'éducation.

Pour effectuer ces missions, le Haut-Commissariat dispose d'un budget annuel d'environ 900 000 millions d'euros. Il est financé en grande partie par les contributions volontaires des gouvernements et des personnes privées.

Depuis quelques années, l'organisation manque d'argent, les fonds dont elle dispose étant en effet loin de couvrir ses dépenses. C'est un sérieux handicap, alors même que le nombre de personnes à secourir ne cesse d'augmenter.

Des réfugiés célèbres

Les réfugiés ne sont pas que gens sans visage, ils ont une histoire, un métier. Parmi eux, on compte des personnes célèbres : Albert Einstein, Sigmund Freud, Marc Chagall, Marlène Dietrich, Giuseppe Garibaldi, Corazón Aquino, ex-présidente des Philippines, Bertold Brecht, Rudolf Noureïev, Alexandre Soljenitsyne.

Le Haut-Commissariat des Nations unies pour les réfugiés a secouru plus de 40 millions de personnes dans le monde depuis sa création. Il est présent dans 123 pays et intervient à travers de missions humanitaires.

La santé

Amener tous les peuples de la Terre au meilleur niveau de santé possible, telle est la mission prioritaire que s'est fixée l'Organisation mondiale de la santé (OMS). Elle aide les pays à renforcer leurs systèmes sanitaires, met en place des programmes de recherche et de lutte contre certaines maladies.

Lutter contre le sida

L'OMS coordonne, depuis 1987, un « programme de lutte mondiale contre le sida » auquel coopèrent 160 pays. Le budget annuel est d'environ 1,5 million d'euros. L'action porte essentiellement sur l'information et l'éducation du public, la tenue de statistiques mondiales, la coordination des travaux dans la recherche de vaccins.

Les origines

L'Organisation mondiale de la santé est une organisation intergouvernementale appartenant au système des Nations unies. Créée le 7 avril 1948, elle succède à d'autres organisations et conférences internationales, mises en place dès le début du XIXe siècle. En 1892, une Convention internationale voit le jour, consacrée uniquement à la lutte contre le choléra. En 1902 est mise sur pied une Organisation panaméricaine de la santé, suivie quelques années plus tard d'un Office international d'hygiène publique. En 1919, la Société des Nations (SDN) fonde à Genève l'Organisation d'hygiène de la santé. Au lendemain de la Seconde Guerre mondiale, le Secrétariat général* des Nations unies décide la création de l'OMS*.

Aujourd'hui, 191 pays font partie de l'Organisation, qui comprend un conseil, un secrétariat et six organisations régionales à New Delhi (Inde), Alexandrie (Égypte), Manille (Philippines), Brazzaville (Afrique), Washington (États-Unis) et Copenhague (Danemark). 5 000 fonctionnaires sont employés à l'OMS, dont 1 300 en Afrique.

Ses fonctions sont multiples : aider les gouvernements à renforcer leurs services de santé, fournir des conseils dans le domaine de la santé, promouvoir la coopération scientifique, mettre en place des programmes de lutte contre les maladies infectieuses, favoriser l'amélioration de la nutrition. La stratégie adoptée par l'OMS vise a mobiliser les efforts des gouverne-

origines   organisation

ments dans plusieurs domaines : promotion de bonnes conditions alimentaires et nutritionnelles, approvisionnement en eau salubre, protection maternelle et planification familiale et infantile, vaccination contre les maladies infectieuses, prévention et contrôle des endémies locales, fourniture des médicaments essentiels.

> **Législation internationale**
>
> L'OMS a édicté un ensemble de règlements sanitaires internationaux : nomenclature des maladies, nomenclatures pharmaceutiques et biologiques, dispositions sanitaires applicables aux voyages internationaux, collaboration entre pays en matière de statistiques sanitaires.

La santé pour tous ?

En dépit de succès incontestables dans la lutte contre certaines épidémies, la planète doit faire face à une mortalité élevée. Elle est due à la malnutrition dans les pays du tiers-monde, à la résurgence du paludisme et à l'apparition du sida. Selon l'OMS, près de 10 millions de personnes sont mortes de cette maladie en vingt-cinq ans.

En attendant, l'OMS adopte une stratégie globale afin d'amener «*tous les peuples au niveau de santé le plus élevé possible*», celui-ci étant défini, selon l'Organisation, comme «*un état de complet bien-être physique, mental et social qui ne consiste pas seulement en une absence de maladie ou d'infirmité*».

Plusieurs programmes ont été lancés ces dernières années : recherche dans le domaine des maladies tropicales (paludisme, lèpre, etc.), campagne mondiale visant à immuniser 90 % des enfants contre les six grandes maladies qui les touchent : rougeole, diphtérie, poliomyélite, tétanos, tuberculose et coqueluche. L'OMS a par ailleurs intensifié la recherche mondiale d'un vaccin contre le SRAS (syndrome respiratoire aigu sévère). En 2002, plus de 8 000 cas ont été recensés dans le monde.

L'Organisation mondiale de la santé, fondée en 1948, s'est fixée pour but d'amener tous les peuples à un niveau de santé le plus élevé possible. En cinquante ans, elle a multiplié les actions sur le terrain et mis en place plusieurs programmes mondiaux de lutte contre les épidémies.

Le travail

Justice sociale, amélioration des conditions de travail, défense des travailleurs et de l'emploi, respect des libertés syndicales... : l'Organisation internationale du travail, fondée en 1919, voudrait être la « conscience sociale » du monde.

La « Déclaration de Philadelphie » de 1944 rappelle que :
– le travail n'est pas une marchandise ;
– la liberté d'expression et d'association est une condition indispensable d'un progrès continu ;
– tous les êtres humains, quels que soient leur race, leur croyance ou leur sexe, ont le droit de poursuivre leur progrès matériel dans la liberté et la sécurité économique avec des chances égales.

85 ans d'histoire sociale

L'Organisation internationale du travail (OIT*) est créée, au terme du traité de Versailles, en 1919, en tant qu'institution autonome associée à la Société des Nations (SDN). Issue du chaos de la Première Guerre mondiale, elle est bâtie sur le principe inscrit dans sa Constitution, selon lequel *« une paix universelle et durable ne peut être fondée que sur la base de la justice sociale »*.

L'OIT se retrouve au cœur d'un siècle de profondes mutations et de transformations sociales nées de la révolution industrielle. Vingt-cinq ans après sa fondation, l'Organisation se transforme en 1946 en institution spécialisée reliée aux Nations unies. La « Déclaration de Philadelphie », signée en 1944 lors de la Conférence internationale du travail, fixe les grands principes et les buts de l'Organisation : contribuer à l'établissement d'une paix durable en favorisant la justice sociale, améliorer par une action internationale les conditions de travail et le niveau de vie.

L'Organisation, installée à Genève, comprend 171 États membres. Trois organes principaux assurent le fonctionnement : la conférence générale annuelle, un conseil exécutif et le Bureau international du travail. L'OIT dispose d'un système de représentation tripartite. Lors des assemblées générales, représentants des employeurs, des travailleurs et des gouvernements débattent ensemble. Ce système a, par le passé, entraîné de multiples blocages. Au temps de la guerre froide, la politisation des discussions

origines   organisation

a paralysé en partie l'action de l'OIT, devenue champ de rivalités entre l'Occident et le bloc communiste.

Les activités

Les activités de l'OIT portent sur l'élaboration de politiques et de projets visant à assurer le respect des droits fondamentaux de l'homme, à améliorer les conditions de travail. Un vaste programme de coopération technique est mis en place dès la fin des années 1930. Cette coopération va prendre de l'ampleur au lendemain de la Seconde Guerre mondiale avec, notamment, l'envoi de missions dans les pays accédant à l'indépendance. Il s'agissait de les aider en matière de formation professionnelle et d'emploi.

Mars 1991, au Niger, des femmes collectent l'eau du puits pour le village et le bétail.

Ces dernières années, plusieurs équipes multidisciplinaires, implantées en Asie, Afrique, Europe orientale et dans les pays arabes, fournissent des conseils techniques afin de mettre en place des politiques de développement.

Des « normes internationales du travail »

Pour faire respecter les principes universels qu'elle s'est fixés, l'OIT a édicté des « normes internationales du travail ». Celles-ci font l'objet de conventions et d'accords qui s'appliquent à l'ensemble des États membres. Première mission de l'OIT à ses débuts : améliorer les conditions de travail, souvent indécentes. Par la suite, les normes vont concerner plusieurs aspects, comme le salaire minimum, la sécurité sociale, l'hygiène ou la réglementation du travail de nuit des femmes. Même si elles font l'objet d'accords, il reste à faire respecter ces normes sur le terrain. Le contrôle de leur application est l'une des principales tâches de l'OIT.

> L'Organisation internationale du travail joue un rôle important dans tout ce qui a trait aux droits de l'homme et à la défense des travailleurs. Depuis sa création, elle a élaboré des « normes internationales du travail ».

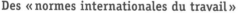

Aide au développement et coopération économique

L'aide au développement est l'une des principales activités des Nations unies. Plusieurs organismes, comme la Banque mondiale ou encore le Programme des Nations unies pour le développement (PNUD), ont pour mission de soutenir le progrès économique et social des pays les plus pauvres.

La lutte contre la pauvreté

Dès leur origine, les Nations unies veulent faire de la lutte contre la pauvreté l'un des grands objectifs à poursuivre. L'article 55 de la Charte* précise d'ailleurs qu'elle doit favoriser le relèvement des niveaux de vie, le plein-emploi et les conditions de progrès et de développement dans l'ordre économique et social. Depuis le début des années 1960, l'ONU multiplie les recommandations, les résolutions* (*voir* pp. 34-35) et différents programmes concrets d'aide économique. Mais il reste encore beaucoup à faire dans un monde où les écarts entre nations riches et nations pauvres se sont considérablement accrus au cours des dernières décennies. Les aides des Nations unies peuvent prendre diverses formes : coopération et assistance technique, versement de fonds, prêts à taux préférentiel, dons, crédits. L'aide au développement représente chaque année plusieurs milliards d'euros. Une grosse partie des aides de l'ONU provient du Programme des Nations unies pour le développement (PNUD). Datant de 1966, le PNUD est placé sous l'autorité directe du Conseil économique et social, organe central du système onusien. Il dispose de représentants dans 117 pays.

Commerce et développement

L'aide au développement est également du ressort de la CNUCED (Conférence des Nations unies pour le commerce et le développement). Cet organisme, créé en 1964, siège à Genève et a pour but de favoriser l'expansion du commerce international des pays en développement.

origines   organisation

Le PNUD a pour fonction de mobiliser les ressources nécessaires en faveur des pays les plus démunis. Aujourd'hui, un peu plus de 156 pays bénéficient de son assistance financière et technique pour des projets de développement.

> **L'aide aux pays pauvres**
>
> En 2001, la Banque mondiale a prêté près de 1,8 milliard d'euros. À elle seule, l'aide aux pays les plus pauvres a représenté un peu plus de la moitié de cette somme.

La Banque mondiale

La coopération économique revêt une importance toute particulière. Pour assurer leur développement, beaucoup de pays ont besoin de ressources financières dont ils ne disposent pas. Ainsi, la Banque mondiale* est-elle créée dans le but d'apporter des aides ciblées, souvent sous forme de prêts, aux gouvernements. L'expression « Banque mondiale » désigne en fait deux institutions juridiques distinctes : la Banque internationale pour la reconstruction et le développement (BIRD) et l'Association internationale pour le développement. Leur rôle : prêter des fonds, fournir une assistance technique et des conseils économiques.

L'Organisation mondiale du commerce

Dans leur souci d'organiser un monde plus pacifique, plus équilibré, les fondateurs des Nations unies ont souhaité instituer des règles en matière d'échanges économiques et de commerce international. C'est pourquoi le GATT (Accord général sur les tarifs douaniers) voit le jour en 1947. Puis, début 1995, lui succède l'Organisation mondiale du commerce (OMC). Cet organisme, relié au système des Nations unies, a pour mission de surveiller les politiques commerciales nationales, de faire respecter les règles régissant le commerce mondial, un commerce qui représentait en 2002 plus de 8 000 milliards d'euros. Aujourd'hui, 152 pays sont représentés à l'OMC, dont le siège se trouve à Genève.

L'ONU consacre une part importante de son activité à l'aide au développement. Cette mission revient principalement à la Banque internationale pour la reconstruction et le développement (BIRD) et à l'Association internationale pour le développement (AID). Ces deux institutions font partie de la Banque mondiale.

Les États membres des Nations unies

Les 191 États membres de l'Organisation des Nations unies et leur date d'admission à l'Organisation sont les suivants :

Afghanistan
19.11.1946

Afrique du Sud
7.11.1945

Albanie
14.12.1955

Algérie
8.10.1962

Allemagne
18.09.1973

Andorre
28.07.1993

Angola
1.12.1976

Antigua-et-Barbuda
11.11.1981

Arabie Saoudite
24.10.1945

Argentine
24.10.1945

Arménie
2.03.1992

Australie
1.11.1945

Autriche
14.12.1955

Azerbaïdjan
2.03.1992

Bahamas
18.09.1973

Bahreïn
21.09.1971

Bangladesh
17.09.1974

Barbade
9.12.1966

Belgique
27.12.1945

Belize
25.09.1981

Bénin
20.09.1960

Bhoutan
21.09.1971

Biélorussie
24.10.1945

Bolivie
14.11.1945

Bosnie-Herzégovine
22.05.1992

Botswana
17.10.1966

Brésil
24.10.1945

Brunei
21.09.1984

Bulgarie
14.12.1955

Burkina Faso
20.09.1960

Burundi
18.09.1962

Cambodge
14.12.1955

Cameroun
20.09.1960

Canada
9.11.1945

Cap-Vert
16.09.1975

Chili
24.10.1945

Chine
24.10.1945

Chypre
20.09.1960

Colombie
5.11.1945

Comores
12.11.1945

Congo
20.09.1960

Costa Rica
5.11.1945

Côte d'Ivoire
20.09.1960

Croatie
22.05.1992

Cuba
24.10.1945

Danemark
24.10.1945

Djibouti
20.09.1977

Dominique
18.12.1978

Égypte
24.10.1945

El Salvador
24.10.1945

Émirats arabes unis
9.12.1971

Équateur
21.12.1945

Érythrée
28.05.1993

Espagne
14.12.1955

Estonie
17.09.1991

États-Unis d'Amérique
24.10.1945

Éthiopie
13.11.1945

Fédération de Russie
24.10.1945

Fidji
13.10.1970

Finlande
14.12.1955

France
24.10.1945

Gabon
20.09.1960

Gambie
21.09.1965

Géorgie
31.07.1991

Ghana
8.03.1957

Grèce
25.10.1945

Grenade
17.09.1974

Guatemala
21.11.1945

Guinée
12.12.1958

Guinée-Bissau
17.09.1974

Guinée équatoriale
12.11.1968

Guyane
20.09.1966

Haïti
24.10.1945

Honduras
17.12.1945

Hongrie
14.12.1955

Inde
30.10.1945

Indonésie
28.09.1950

Iran (Rép. islamique d')
24.10.1945

Iraq
21.12.1945

Irlande
14.12.1955

Islande
19.11.1946

Israël
11.05.1949

Italie
14.12.1955

Jamaïque
18.09.1962

Japon
18.12.1956

Jordanie
14.12.1955

Kazakhstan
2.03.1992

Kenya
16.12.1963

Kirghizistan
2.03.1992~

Kiribati
14.09.1999

Koweït
14.05.1963

Laos
14.12.1955

origines   organisation

Lesotho
17.10.1966

Lettonie
17.09.1991

Liban
24.10.1945

Liberia
2.11.1945

Libye
14.12.1955

Liechtenstein
18.09.1990

Lituanie
17.09.1991

Luxembourg
24.10.1945

Macédoine
8.04.1993

Madagascar
20.09.1960

Malaisie
17.09.1957

Malawi
1.12.1964

Maldives (îles)
21.09.1965

Mali
28.09.1960

Malte
1.12.1964

Maroc
12.11.1956

Marshall (îles)
17.09.1991

Maurice (île)
24.04.1968

Mauritanie
27.10.1961

Mexique
7.11.1945

Micronésie (États
fédérés de) 7.09.1991

Moldavie
2.03.1992

Monaco
28.05.1993

Mongolie
27.10.1961

Mozambique
16.09.1975

Myanmar
19.04.1948

Namibie
23.04.1990

Nauru
14.09.1999

Népal
14.12.1955

Nicaragua
24.10.1945

Niger
20.09.1960

Nigeria
7.10.1960

Norvège
27.11.1945

Nouvelle-Zélande
24.10.1945

Oman
7.10.1971

Ouganda
25.10.1962

Ouzbékistan
2.03.1992

Pakistan
30.09.1947

Palau
16.12.1994

Panama
13.11.1945

Papouasie-
Nouvelle-Guinée
10.10.1975

Paraguay
24.10.1945

Pays-Bas
10.12.1945

Pérou
31.10.1945

Philippines
24.10.1945

Pologne
24.10.1945

Portugal
14.12.1955

Qatar
21.09.1971

République
centrafricaine
20.09.1960

République de Corée
(Corée du Sud)
17.09.1991

République démo-
cratique du Congo
20.09.1960

République dominicaine
24.10.1945

République populaire
démocratique de Corée
(Corée du Nord)
17.09.1992

République tchèque
19.01.1993

Roumanie
14.12.1955

Royaume-Uni
24.10.1945

Rwanda
18.09.1962

Sainte-Lucie
18.09.1979

Saint-Kitts-et-Nevis
23.09.1983

Saint-Marin
2.03.1992

Saint-Vincent-et-les
Grenadines 6.09.1980

Salomon (îles)
19.09.1978

Samoa
15.12.1976

Sao Tomé et Principe
16.09.1975

Sénégal
28.09.1960

Seychelles
21.09.1976

Sierra Leone
27.09.1961

Singapour
21.09.1965

Slovaquie
19.01.1993

Slovénie
22.05.1992

Somalie
20.09.1960

Soudan
12.11.1956

Sri Lanka
14.12.1955

Suède
19.11.1946

Surinam
4.12.1975

Swaziland
24.09.1968

Syrie
24.10.1945

Tadjikistan
2.03.1992

Tanzanie
14.12.1961

Tchad
20.09.1960

Thaïlande
16.12.1946

Timor-Oriental
27.09.2002

Togo
20.09.1960

Tonga
14.09.1999

Trinité-et-Tobago
18.09.1962

Tunisie
12.11.1956

Turkménistan
2.03.1992

Turquie
24.10.1945

Tuvalu
05.09.2000

Ukraine
24.10.1945

Uruguay
18.12.1945

Vanuatu
15.09.1981

Venezuela
15.11.1945

Vietnam
20.09.1977

Yémen
30.09.1947

Yougoslavie
24.10.1945

Zambie
1.12.1964

Zimbabwe
25.08.1980

Glossaire

Assemblée générale : principal organe de délibération de l'ONU, où 191 pays sont représentés. Les États y ont les mêmes droits et les mêmes privilèges.

Banque mondiale : institution spécialisée des Nations unies, elle a pour fonction d'aider les pays en voie de développement dans leurs politiques économiques et financières.

Charte des Nations unies : texte fondateur des Nations unies, adopté le 26 juin 1945 ; il se compose de 19 chapitres et 111 articles.

Conseil de sécurité : principal organe de décision en matière de maintien de la paix et de sécurité internationale ; il se compose de quinze membres, dont cinq «permanents» qui disposent du droit de veto*.

Cour internationale de justice : principal organe judiciaire des Nations unies, dont tous les pays membres font partie. La Cour juge les différends non entre les personnes, mais entre les États.

Diplomatie préventive : forme de diplomatie défendue par les Nations unies consistant à éviter que les différends entre nations ne débouchent sur des conflits.

Droit de veto : pouvoir attribué aux cinq membres permanents siégeant au Conseil de sécurité* leur permettant de s'opposer à telle ou telle décision prise dans le cadre de l'ONU.

FAO : Organisation pour l'alimentation et l'agriculture, plus connue sous le sigle anglais de FAO. Cherche à développer les productions agricoles et les ressources alimentaires pour lutter contre la malnutrition.

HCR : Haut-Commissariat des Nations unies pour les réfugiés, organisation à caractère humanitaire créée en 1951. Dépendant des Nations unies, elle est chargée d'assurer la protection des réfugiés.

OIT : l'Organisation internationale du travail est née il y a soixante-quinze ans. Elle joue un rôle important pour la défense des droits des travailleurs.

OMS : l'Organisation mondiale de la santé est un des principaux organes de l'ONU. Elle a pour objectif l'amélioration du niveau de la santé dans le monde.

Résolution : texte voté par l'Assemblée générale ou le Conseil de sécurité, il s'applique à l'ensemble des pays membres de l'Organisation.

Secrétariat général : autorité administrative qui joue un rôle à la fois politique et diplomatique auprès de l'Assemblée générale* et du Conseil de sécurité*.

UNESCO : l'Organisation des Nations unies pour l'éducation, la science et la culture est une institution spécialisée des Nations unies. Elle œuvre pour rapprocher les nations en matière d'éducation et de culture.

UNICEF : organisme relié au système des Nations unies qui a pour vocation première d'apporter des secours d'urgence aux enfants victimes de guerres ou de maladies.

origines   organisation

Bibliographie

BERTRAND (Maurice), *L'ONU*,
coll. Repères, La Découverte, 2003.

MESTRE-LAFAY (Frédérique), *L'ONU*,
coll. Que sais-je ?, PUF, 2003.

COT (Jean-Pierre) et PELLET (Alain),
La Charte des Nations unies,
Economica, 1991.

ABC des Nations unies, Département
de l'information des Nations unies,
New York, édition 2003.

ZORGBIBE (Charles), *L'Avenir
de la sécurité internationale*,
Presses de Sciences-Po, 2003.

*Les organisations internationales
à vocation universelle*,
La Documentation française, 1993.

L'ONU : activités et fonctionnement,
Document d'études, La Documentation
française, 1992.

GERBET (Pierre), *Le Rêve d'un ordre
mondial. De la SDN à l'ONU*,
Imprimerie nationale, 1996.

Adresses utiles

ONU
New York, NY-10017, USA
Tél. : 1-212-963 4475
http://www.un.org
Centre d'information des Nations unies
1, rue Miollis, 75732 Paris cedex 15
Tél. : 01 45 68 48 76
http://www.onu.fr
Association française pour les Nations unies
1, avenue de Tourville, 75 007 Paris
Tél. : 01 45 55 71 73
http://afnu.france.free.fr
UNESCO
7, place de Fontenoy, 75007 Paris
Tél. : 01 45 68 10 00
http://www.unesco.org
UNICEF
Bureau de Paris
3, rue Duguay-Trouin,
75282 Paris cedex 06
Tél. : 01 44 39 77 77
http://www.unicef.org

Haut-Commissariat des Nations unies
pour les Réfugiés
Case postale 2500, 1211 Genève, Suisse
Tél. : (41-22) 739 81 11
http://www.unhcr.ch
OMS
20, avenue Appia, 1211 Genève 27, Suisse
Tél. : (41-22) 791 21 11
http://www.who.int
FAO
Viale delle Terme di Caracalla,
00100 Rome, Italie
Tél. : (39) 06 57 051
http://www.fao.org

Haut-Commissariat des Nations unies
aux droits de l'homme
8-14, avenue de la Paix,
1211 Genève 10, Suisse
Tél. : (41-22) 917 9000
http://www.unhchr.ch

Index

Le numéro de renvoi correspond à la double page.

Responsable éditorial
Bernard Garaude
Directeur de collection
Dominique Auzel
**Suivi éditorial
et secrétariat d'édition**
Cécile Clerc
Correction-Révision
Élisée Georgev
Maquette
Atelier Kunstart
Iconographie
Sandrine Batlle
**Conception graphique
et couverture**
Bruno Douin
Fabrication
Isabelle Gaudon
Magali Martin

Crédit photos

p. 3 : © Bettmann/CORBIS
p. 12 : © Brooks Kraft/ CORBIS
pp. 16-17 : © Idée Graphic
p. 23 : © Pallava Bagla/ CORBIS
p. 28 : © Roger-Viollet
p. 31 : © Olivier Sanchez / SIPA
p. 32 : © Benjamin Lowy/ CORBIS
p. 35 : © Spooner Franck / GAMMA
p. 36 : © Sazy Laurent / GAMMA
pp. 38-39 : © Idée Graphic
p. 43 : © Polak Matthew/
CORBIS-SYGMA
p. 50: © G. Pirozzi / UNICEF
p. 52 : © Lynsey Addario/ CORBIS
p. 57 : © Caroline Penn / CORBIS

© 2004 Éditions MILAN
300, rue Léon-Joulin,
31101 Toulouse Cedex 9 France

ISBN : 2-7459-1394-8
D. L. mars 2004
Aubin Imprimeur, 86240 Ligugé
Imprimé en France